L'ARCHER BASSARI

KARTHALA sur internet : http://www.karthala.com

Paiement sécurisé

© Éditions KARTHALA, 1984
ISBN 978-2-86537-075-7

Modibo S. Keita

L'archer bassari

Roman

Éditions KARTHALA
22-24, boulevard Arago
75013 Paris

Que le peuple accorde à quelqu'un une dignité, qu'il lui confie l'honneur d'une présidence quelconque, surtout s'il s'agit d'un poste important : et le voilà qui s'imagine dépasser la nature humaine, se croit porté aux nues et ne considère plus ses semblables que comme l'escabeau de sa grandeur. Parfois même on le voit s'élever contre ceux qui lui ont accordé leur suffrage, et traiter avec insolence les auteurs de son élévation. L'insensé, il ne sait pas que sa gloire est plus fragile qu'un rêve et que l'éclat qui l'entoure est plus vain que les fantômes de la nuit.

Saint Basile de Césarée.

1

L'archer grimpa en silence le long du tronc noueux du caïlcédrat. A quatre heures du matin le boulevard de la République est totalement désert. Il ne craignait donc pas d'être vu. Ne pas faire de bruit. Un chien zélé aboya, mais sans grande conviction. Des grognements rageurs et à demi-endormis d'autres chiens du voisinage lui enjoignirent de se taire. La rue retrouva son calme profond. L'archer se hissa sans difficulté de branche en branche et arriva à celle qu'il avait choisie depuis le sol. Il testa sa solidité par quelques coups de la plante du pied et s'assit dessus. Il cassa quelques rameaux feuillus pour se faire une éclaircie vers la rue, trois mètres plus bas. Prenant appui sur une branche en fourche au-dessous, il mit une flèche à son arc et banda son arme vers une cible invisible de l'autre côté de la rue. Puis il débanda l'arc et rangea la flèche. « Atumbi ne ratera pas le traître », dit-il tout bas, satisfait de son essai. Il se rassit sur la branche, laissa pendre les jambes dans le vide et posa la tête sur un appui juste au-dessus. Il relâcha ses muscles et se détendit, les nerfs déconnectés. Il attendit ainsi, les yeux à demi fermés et l'oreille aux aguets.

Sérigne Ladji sortit du bar « l'Abreuvoir », une fille à chaque bras. Les néons fatigués de l'enseigne du bar jetaient quelques clartés blafardes sur le panneau aux lettres couvertes de toiles d'araignées et de restes d'insectes. L'homme était si soûl qu'il semblait porté par les deux femmes car il les tenait aux épaules, accroché à elles. Il chantait d'une voix fortement avinée un refrain de chanson pour ivrognes. Le trio se dirigea vers la voiture de Sérigne Ladji parquée quelques mètres en amont du bar. L'ivrogne arrêta un moment les filles, les rudoya par des bourrades et insulta grossièrement Kandimi, une petite noiraude de la savane qui essayait déjà de lui faire les poches. Puis il fit une suggestion qui le fit éclater de rire au point de s'écrouler presque, les jambes fauchées par le fou-rire. Tirant sur la fermeture de sa braguette, il dit à la fille que c'était là qu'il fallait chercher car, ajouta-t-il, un trésor y était caché.

L'archer vit nettement le petit groupe s'approcher de la voiture sous le lampadaire. Le rire gras et satisfait de Ladji le fit frémir de répulsion. Il dut vite réprimer ce frémissement car il préparait son arme. Il haïssait l'homme qui ricanait de l'autre côté de la rue et qu'il allait bientôt flécher. Il l'imagina en train de grimper frénétiquement sur un monceau de cadavres et d'agonisants vers un coffre-fort d'où débordaient des billets de banque, riant aux éclats de sa victoire sûre, insensible aux râles des mourants, écartant brutalement les mains décharnées qui imploraient un secours. « Je le percerai quand il touchera la porte du coffre » se dit l'archer, liant ainsi son fantasmagorique tableau à la réalité.

Le noctambule éméché arriva au véhicule, toujours accroché aux filles et toujours riant. Il tendit la main vers la poignée de la portière et la saisit. Ce fut son dernier geste conscient sur terre. La flèche prit son départ de l'éclaircie. Elle feula en franchissant la dizaine de mètres qui la séparait de sa cible et vint s'enfoncer avec force dans la poitrine de Sérigne Ladji. Dessoulé par le choc et la douleur, celui-ci considéra avec une stupeur immense l'instrument de sa mort, planté là de façon sinistre ; et dans un réflexe de survie, il tenta de l'arracher. La flèche avait déjà causé une sérieuse entaille dans la crosse aortique, et la tentative pour l'enlever provoqua de plus graves dégâts. Le sang gicla sur la voiture et sur les deux prostituées qui essayaient de comprendre, interdites. Le râle poussé par leur compagnon mais surtout le contact tiède et visqueux et l'odeur écœurante du sang leur firent lâcher prise et hurler à tue-tête. Abia, l'autre fille, prise de terreur, détala à toutes jambes, semant sur la chaussée sac, chapeau, chaussures...

Atumbi descendit de l'arbre tel un félin, s'engagea à petites foulées dans une ruelle adjacente, bifurqua vers l'océan tout proche et, profitant de la pénombre, suivit la grève sur plusieurs mètres à une allure soutenue. Au niveau du quartier populaire de Bougosso il remonta sur la corniche qui longeait la mer, traversa la rue et disparut dans les dédales entre les baraques de bois et de tôles.

L'inspecteur Sarré, du commissariat du neuvième secteur, se leva de son siège dès qu'il entendit les cris des filles. D'autres clients pas encore ivres de l'Abreuvoir en firent autant. Il y eut aussitôt une ruée vers la sortie. Le remue-ménage réveilla quelques consommateurs à demi abrutis d'alcool. Certains se joignirent au petit groupe dehors. On trouva vite le lieu du drame. Tout près du cadavre, Kandimi hurlait, les deux mains sur la tête en signe de grand malheur. L'inspecteur Sarré arriva le premier, jeta un bref coup d'œil sur la scène et aux alentours et s'agenouilla près du corps.

— Rien à faire, dit-il, le visage levé vers ceux qui venaient d'arriver.

Il demanda au barman de téléphoner au commissariat pour qu'on lui envoyât deux hommes chargés d'effectuer les relevés. Il se remit debout et fit comprendre aux badauds qui étaient restés qu'ils devaient rejoindre le bar pour une vérification d'identité. Devant les protestations, il exhiba sa carte professionnelle et personne ne prit alors le risque de paraître suspect par une parole ou un geste mal à propos, comme, par exemple, une tentative de s'esquiver en douce. La carrure athlétique de l'inspecteur en imposait et il était évident pour tous que toute fuite serait vite un échec et désignerait le fuyard comme un coupable en puissance. Quand il regagna l'Abreuvoir avec sa petite suite, Sarré n'y trouva plus que le barman en train de téléphoner, une serveuse debout, stupide avec son plateau vide, et un poivrot cuvant du gros rouge à grand renfort de ronflements. Toutes les prostituées avaient disparu ainsi que tous les clients lucides du bar. A la première alerte, ils avaient senti le roussi et avaient mis les voiles. Beaucoup d'entre eux étaient d'honorables chefs de famille censés être ailleurs que dans un bar à prostituées à cette heure-ci. Les quatre clients que leur curiosité avait poussé jusqu'au lieu du crime présentèrent leurs pièces d'identité et furent fouillés rapidement. Puis ils reçurent chacun une convocation pour le matin au commissariat. Sarré essaya en vain de réveiller le poivrot en le secouant. Sous la secousse le dormeur dégringola de son banc et, une fois affalé sur le plancher crasseux, il émit un grognement de satisfaction avec des claquements de langue gourmands comme s'il avait trouvé là son lit. Et il reprit aussitôt son vrombissement de plus belle. Il semblait ainsi parti pour au moins vingt-quatre heures. Le policier n'insista pas. Après s'être informé auprès du barman du nom du client, il établit une convocation qu'il glissa dans la poche de l'ivrogne.

Le commissaire Mbaye défit nerveusement sa cravate pour se sentir plus à l'aise. La saison chaude était déjà commencée et le ventilateur faisait plus de bruit qu'il ne produisait de fraîcheur. Finalement, il enleva le veston de son ensemble bleu marine qu'il venait de remettre pour rentrer et le suspendit sans façon au dossier de son fauteuil. Puis il s'épongea le front qu'il avait large et qui accusait un début de calvitie. « Perdre ses cheveux à trente-cinq ans ! se dit-il désolé. Si je considère tout le boulot que je me tape et si j'y ajoute mes soucis conjugaux, il y a vraiment de quoi, conclut-il. » De fait cela faisait deux nuits qu'il ne dormait pas chez lui et qu'il mangeait très mal, au grand dépit de sa femme. Il était sur une affaire de drogue et il pensait bientôt aboutir. Comme souvent dans ces cas-là, les choses vont en se ramifiant. Il fallut procéder à plusieurs interpellations après les aveux de ceux qui étaient arrêtés. Cela faisait un bon paquet de gens qu'il fallait interroger et dont la plupart furent relâchés. Mais tous furent inscrits dans un fichier. Mbaye fut ainsi retenu jusqu'à quatre heures et s'apprêtait à rentrer quand on lui annonça le meurtre du boulevard de la République. La nouvelle lui causa une bouffée de chaleur supplémentaire. Il enleva carrément la cravate. « Ça y est, marmonna-t-il, Safi va encore m'engueuler ! » Il sursauta légèrement quand le téléphone sonna mais il prit le temps de se ressaisir, compta jusqu'à cinq sonneries et décrocha.

— Que vas-tu inventer pour aujourd'hui, cria une voix de femme. Chaque fois c'est la même chose : je prépare le repas et il n'y a personne pour le manger. Je fais le lit et je suis seule à me coucher dedans. Pourquoi suis-je donc mariée ? Etre Madame Mbaye, c'est donc simplement pour le décor ?

— Mais non, chérie ! (Mbaye essayait de garder son calme.) Ce soir, c'est très sérieux, j'ai un meurtre sur les bras.

— Un meurtre ? C'est facile à inventer, ça. Ne serait-ce pas plutôt une fille que tu aurais dans les bras ?

— Pas du tout ! protesta-t-il. Que vas-tu imaginer là ?

— J'entends des voix de femmes, asséna-t-elle.

— Ce sont des prostituées qu'on a raflées et qui causent.

— Elles causent dans ton bureau !

— Non, dans le couloir !

— C'est bien dans ton bureau ! Je les entends distinctement ! Tu me rabaisses en me trompant avec des filles de joie ! Je ne suis donc plus rien pour toi ?

Elle éclata en sanglots, ce qui exaspéra son mari qui raccrocha sans douceur. « Ils sont fous les polygames ! Moi, avec une seule épouse, j'en ai jusque-là ! » pensa-t-il à haute voix.

— Qu'on fasse entrer une des filles, hurla-t-il vers la porte.

Abia parut sur le seuil, suivie d'un policier en uniforme. Elle tenait à la main les objets qu'elle avait perdus dans sa fuite et qu'on lui avait retrouvés et remis. Elle semblait abattue mais prit un air d'agressi-

11

vité dissuasive quand on la fit s'asseoir. Sa longue robe de synthétique vert était déchirée par endroits car elle était tombée plusieurs fois dans sa fuite. Avant d'y être invitée, elle ouvrit son sac, en tira sa carte d'identité, son carnet sanitaire et les déposa sur le bureau.

— Vous vous appelez bien Abia ? demanda Mbaye en prenant les pièces.

La fille ne répondit pas.

— Bon, murmura le commissaire en continuant sa lecture : vingt-six ans ; 1,70 mètre ; teint clair ; profession : secrétaire.

Il leva le regard vers elle et constata pour lui-même : c'est vrai qu'elle a un quelque chose d'intellectuelle.

— Question facultative : comment êtes-vous passée du secrétariat à la prostitution ?

— J'en avais marre de faire deux boulots et d'être payée pour un seul, rétorqua-t-elle avec du défi dans la voix.

— Etre maîtresse de ses patrons successifs, c'était pour vous un second métier sans doute ? En somme de la prostitution gratuite ? Beaucoup sont dans votre cas. Vous avez décidé de choisir et votre choix a porté sur la plus lucrative des deux professions.

Et sans attendre la réplique, il enchaîna :

— Bien, mademoiselle, vos papiers sont en règle, votre carnet sanitaire est à jour. Nous allons pouvoir aborder les choses sérieuses. Racontez-moi ce qui s'est passé boulevard de la République ?

— J'ai déjà tout dit à l'inspecteur.

— Je sais.

Mbaye jeta un bref regard sur le coin droit du bureau (un rapport manuscrit et la flèche sous cellophane, une flèche barbelée renforcée de deux dents de harpon asymétriques). Racontez quand même. Que s'est-il passé depuis que vous êtes sorties avec Ladji ?

— Il nous a amenées à sa voiture et c'est là qu'il est mort, dit-elle calmement.

— Vous n'avez pas l'air touchée par sa mort.

— Il n'y avait que des relations d'argent entre nous.

— Que s'est-il passé quand vous êtes arrivées à la voiture de Ladji ?

— Je vous l'ai dit, il a été tué d'une flèche.

— D'où venait cette flèche ?

— Je n'en sais rien. J'ai juste entendu un sifflement et une flèche est venue frapper mon client à la poitrine.

— Que s'est-il passé quand la flèche a frappé ?

— J'ai crié et je me suis enfuie.

— Pourquoi étiez-vous la seule à vous enfuir. Vous pensiez que l'on pouvait vous en vouloir, à vous aussi ?

— Que voulez-vous dire ? fit la fille, méfiante.

— Vous étiez plus qu'une amie de lit pour Ladji. On vous voyait ensemble depuis quelques semaines. Quelle était la nature exacte de vos relations ?

— Je vous l'ai dit ! (Elle criait presque.) Il n'y avait entre nous que des relations de client à prostituée !

— Kandimi était une nouvelle venue à l'Abreuvoir. Est-ce vous qui l'avez présentée à Ladji ?

— Je connais pas cette fille !

Elle battait des cils comme quelqu'un qui cherche précipitamment des mots.

— La première fois que je l'ai vue, c'était hier.

— J'ai des raisons de croire que c'est vous qui l'avez présentée. Vous êtes vous-même prostituée, bien sûr, mais vous gérez aussi, si on peut dire, un petit troupeau de filles.

— Ce n'est pas vrai. (Abia semblait sincèrement indignée.) Je travaille pour mon compte personnel et c'est tout !

— Pourtant vous étiez avec la petite Kandimi ce soir !

— Cela est vrai mais le client est libre de choisir autant de filles qu'il veut s'il en a les moyens. En ce qui me concerne, l'essentiel est qu'il me paye ce qu'il me doit ; le reste ne me regarde pas.

— Bien. Dites-moi maintenant, connaissez-vous quelqu'un qui avait des raisons de s'en prendre à la vie de Sérigne Ladji ?

— La vie privée de mes clients ne me regarde pas.

13

— Peut-être bien. Mais Ladji n'était pas un client ordinaire. Ce qui me fait penser que vous en savez plus que vous voulez faire croire. Un conseil : si vous n'avez rien à vous reprocher dans cette affaire, vous avez intérêt à coopérer avec nous. Nous aurons tôt fait d'établir votre dossier. Pour ça, vous pouvez nous faire confiance. (Il marqua une pause.) Vous pouvez disposer mais tenez-vous prête à toute convocation.

Abia se leva et s'en alla. Sans un mot.

— Faites entrer l'autre fille ! Mbaye avait gardé son calme malgré l'attitude d'Abia. Il avait même retrouvé les gestes et les réflexes de la routine et cela lui faisait oublier sa femme.

Le jeune policier de service fit avancer Kandimi d'une bourrade dans le dos.

— Entre, paillasse à marins ! siffla-t-il entre les dents.

La fille lui répondit au creux de l'oreille d'un ton bas mais si venimeux que le policier porta nerveusement la main au pistolet qu'il avait à la hanche. Comme pour répondre à une provocation armée. Puis il arrêta son geste et, menaçant, susurra à l'oreille de la petite prostituée :

— Je m'occuperai de toi plus tard. De toi et de ta boîte à sous. Tu m'en diras des nouvelles !

— Carte d'identité ! Carnet sanitaire !

Elle s'asseyait quand le commissaire lui demanda ses papiers.

— Je n'en ai pas, répondit tranquillement Kandimi.

Mbaye la détailla du regard et s'étonna d'abord de : on jeune âge : quinze ou seize ans ; il lui donnait un peu plus de 1,55 mètre. Elle avait un visage sans charme véritable avec des lèvres charnues et ourlées et des yeux mobiles comme ceux d'un animal aux aguets. Le commissaire crut déceler de la ruse et même du culot dans ces yeux qui se voulaient apeurés. Il avait remarqué la netteté des habits de la fille. Il savait qu'elle était retournée chez elle changer sa roble maculée de sang pour un pantalon de toile et un chemisier à dentelles taillé de façon quelconque. Son « chez elle » était une minable baraque du quartier Bougosso qu'elle partageait avec deux autres congénères nocturnes. Il y avait là un unique lit qu'elles occupaient mais rarement ensemble à trois. Car elles s'arrangeaient autant que possible pour passer la nuit avec le dernier client soit à l'hôtel soit au domicile de celui-ci. Là, elles pouvaient dormir à leur aise, prendre une vraie douche et un vrai petit déjeuner.

— Sais-tu que la non-présentation du carnet sanitaire peut entraîner une condamnation ? dit Mbaye en essayant de mettre toute la menace nécessaire dans la voix.

— Mettez-moi en prison si vous voulez ! J'ai déjà fait cinq fois la taule.

La timidité apparente avait fait place à une agressivité certaine. L'agressivité doit certainement être le bouclier de ces filles, songea Mbaye.

— Nous verrons ça tout à l'heure. Quel est ton nom ?

— Kandimi qu'elle s'appelle, chef, intervint le policier en faction devant la porte. Son nom veut dire « Torticolis » parce que depuis l'âge de douze ans, elle n'a jamais fait non de la tête à un homme.

— Doucement, Youssou, coupa le commissaire. Tu interviendras quand je te le demanderai !

— Bien chef ! Mais si je n'interviens pas maintenant, elle est capable de vous raconter des bobards.

— Laisse-moi faire et tâche de tenir ta langue.

— Bien, chef !

Le jeune policier reprit sa place à la porte, l'air pincé.

— Est-ce vrai que tu t'appelles Kandimi ? Je te signale que je ne serai pas dupe de tes réponses, dit Mbaye.

— C'est comme ça qu'on m'appelle. Mon vrai nom est Kandima qui signifie « Belle voix ». Mais je préfère Kandimi, ça plaît aux clients.

— De toutes façons on vérifiera plus tard ton identité. Dis-moi, Sérigne Ladji a-t-il dit quelque chose avant de mourir ?

15

— Oui !

— Quoi ?

— Quand la flèche l'a frappée et qu'il a vu que c'était une flèche, il a dit « merde » !

— Et quoi d'autre ?

— Il a dit aussi d'une voix faible : le salaud, j'aurais dû me méfier !

Le commissaire était soudain très intéressé.

— A-t-il dit un nom ?

— Je ne sais pas. J'ai dit ce que j'avais entendu.

— Qu'as-tu entendu encore ?

— Il a dit aussi « aaah » en soufflant et il est tombé par terre.

— C'est tout ?

— Oui c'est tout.

— As-tu vu quelqu'un dans les parages ? As-tu remarqué quelque chose d'anormal ?

— Non, je n'ai vu personne et je n'ai remarqué rien d'anormal à part la flèche.

— Bien. Dis-moi à présent, connais-tu quelqu'un qui en voulait à Ladji au point de le tuer ?

— Non ! (La réponse avait été rapide comme si elle avait voulu s'en débarrasser.)

Mbaye avait remarqué l'émotion passagère de la jeune fille.

— Pour qui travailles-tu ?

— Moi ? Mais pour moi-même !

Mbaye comprit qu'elle s'en tiendrait à cette réponse de façon obstinée. Il n'insista pas, se réservant d'éclaircir ce point par une enquête appropriée.

— Comment se fait-il que tu sois restée seule auprès du cadavre alors que Abia, elle, avait fui ?

— J'ai l'habitude de la mort et des cadavres. Dans mon village, là-bas dans la savane, la famine tuait gens et bêtes. Il y avait parfois un enterrement le matin, un le soir. La sécheresse décimait le village et les secours n'arrivaient pas.

— Et c'est ainsi, enchaîna Mbaye avec une compassion non feinte, que les jeunes du village sont allés chercher du travail à la ville et tu t'es retrouvée dans la capitale. Du travail de bonne ou de vendeuse ambu-

16

lante à la prostitution, il n'y a qu'un petit fossé que tu as vite franchi. Il fallait envoyer des vivres à tout prix au village. C'est bien ça ? (Kandimi acquiesça, gênée.) Ma petite, il y en a toute une flopée dans ton cas. C'est aussi ça la sécheresse : l'exode rural des filles vouées presque inévitablement à la prostitution.

La jeune fille écrasa une larme. Cela lui rappelait trop de souvenirs douloureux, trop de privations, trop d'humiliations.

— Oui, ce n'est pas du tout gai. Mais nous devons revenir à l'affaire qui nous occupe. Comment Ladji est-il devenu ton client ?

La fille sentit vite la question-piège.

— J'étais à l'Abreuvoir et il m'a choisie pour passer la nuit. J'ai beaucoup de succès, vous savez.

Futée, la petite, pensa Mbaye.

— C'était la première fois que tu venais à l'Abreuvoir et on t'y a vue entrer avec Abia. Exact ?

— C'était par hasard. Je ne la connaissais pas avant. C'est en nous voyant venir ensemble que Sérigne Ladji a décidé de nous prendre ensemble pour la nuit.

Mbaye sourit. Il s'attendait à une telle réponse. La fille était vraiment coriace. Pourtant il était sûr qu'elle faisait partie du troupeau d'Abia.

— J'ai encore une question à te poser, dit le commissaire, abandonnant sourire et ton complaisant.

Kandimi tressaillit sous le coup du changement de ton.

— Sérigne Ladji avait sur lui la recette de trois journées de bar soit près d'un demi-million. Le barman qui lui a remis cette somme et plusieurs clients témoins sont formels. Or, cet argent a disparu. D'après toi, où est-il passé ?

— Je n'en sais rien, je n'ai rien touché ! (Les yeux devenus plus vifs trahissaient le trouble de la jeune fille de même que la nervosité de sa voix perchée.)

— Pourtant tu es restée seule avec le cadavre pendant deux ou trois minutes. C'est largement suffisant pour barboter dans une poche.

— Si je suis restée, c'était pour lui porter secours.

— Décidément tu as réponse à tout, dit Mbaye qui commençait finalement à s'énerver. Puisque tu ne veux pas avouer je vais te faire fouiller.

Youssou, qui n'avait pas perdu un mot de l'interrogatoire, bondit dans la pièce, les yeux pétillants de plaisir.

— Non, pas toi, Youssou. Conduis-là à Bané, elle doit en avoir fini avec la fouille des filles qui vendaient de la drogue à leurs clients.

Le policier ne se fit pas prier. Il saisit Kandimi par le bras et la força à le suivre. Dans le couloir, il ne put s'empêcher de l'insulter. « Roulure » gronda-t-il. La jeune prostituée retrouva aussitôt son agressivité et répliqua sans attendre.

— Roulure, ta mère ! lui lança-t-elle au visage. Ta mère était une petite pute à dix balles sur laquelle sont passés tous les hommes du quartier. Moi je suis une prostituée qui se respecte : je choisis mes clients.

La rage étouffait Youssou. Il avait bien envie de faire un sort à la fille là sur-le-champ. Mais il savait que sa joie serait de courte durée car la sanction serait immédiate et lourde. Le commissaire ne plaisantait pas avec les violences non justifiées.

— Tu sais ce que je ferai quand je t'attraperai ? (La voix était basse, presque confidentielle, mais pleine de menace.)

— Tu ne feras rien du tout, assura vivement Kamdimi. Parce que si tu m'attrapes, la première chose que je te ferai, ce sera de t'arracher les couilles !

C'est à ce moment qu'apparut Bané, l'auxiliaire de police, à la porte d'un bureau. Kandimi prit peur en la voyant. La femme présentait une corpulence massive et une musculature apparente que n'atténuait nullement sa robe à rayures violettes. Ses petits yeux porcins accentuaient son aspect brutal. Kandimi n'était pas du tout rassurée devant cette femme et elle se promit d'éviter toute bêtise pour ne pas recevoir des coups. L'auxiliaire renvoya le policier qui s'apprêtait à jouir de la scène, un sourire égrillard aux lèvres. Puis, ayant refermé la porte, elle enjoignit d'une voix sans douceur à la jeune fille de se déshabiller complè-

18

tement. Quand ce fut fait, elle émit un sifflement en voyant ce corps juvénile, bien proportionné et plein de santé. La femme fouilla rapidement le sac à main et les habits de la prostituée puis entreprit d'inspecter le corps.

— Écarte les jambes, lui intima-t-elle en l'y aidant elle-même par un geste brusque sur la cuisse.

— Vous voyez bien que je n'ai rien volé. Comment cacher un demi-million ici (elle désigna son sexe du doigt) et en même temps se déplacer normalement. Vous m'avez assez tripotée comme ça !

— Tiens ? fit la femme, ironique. Abia a du faire plus avec toi. Elle a plein de gars mais elle ne dédaigne pas les petits extras avec ses filles. Tu ne me diras pas que tu travailles pour elle sans être passée dans son lit ?

— Je ne connais pas cette Abia. C'est dans la nuit d'hier que je l'ai vue pour la première fois. (Puis adoucissant la voix jusqu'à la supplication.) Laissez-moi partir, s'il vous plaît. Je ne suis qu'une pauvre fille dans cette affaire qui ne me regarde pas.

La femme poussa quelques grognements sourds de dépit. Elle refouilla les habits et le sac de Kandimi. Puis elle griffonna une note, ouvrit la porte et remit la feuille à Youssou. Lorsque le commissaire Mbaye lut la note, il murmura à l'oreille de son subalterne : « Laisse-la partir et file-la. Avec discrétion, je précise. Et surtout pas de gaffes » Le brigadier Youssou était aux anges.

2

Il était 7 heures 30 quand les quatre inspecteurs se trouvèrent réunis dans le bureau du commissaire Mbaye, qui faisait maintenant de grands efforts pour ne pas fermer les yeux. Les tasses de café s'étaient succédé toute la nuit et pourtant l'engourdissement gagnait du terrain.

— Nous avons un meurtre d'un genre particulier, commença-t-il d'une voix pâteuse et après avoir largement bâillé. Un propriétaire de bar que, par ailleurs, je soupçonne fortement d'être un proxénète, s'est fait descendre d'une flèche, boulevard de la République. Notez bien : d'une flèche. Cette affaire, à mon avis, dépasse le simple fait divers. Elle est sans précédent et l'enquête ne sera pas facile. Donc soyons méthodiques pour être efficaces. Voici comment nous allons procéder pour les investigations. Toi, Marou, tu t'occuperas de la flèche. Fais le tour des musées, des antiquaires, va à la Faculté, vois tout ceux qui par leur savoir peuvent t'informer sur la provenance de cette arme. J'espère que tu saisis l'importance de ta mission. C'est la base même de l'enquête. En établissant l'origine de cette flèche, nous aurons une piste précise qui pourrait nous mener au meurtrier.

L'inspecteur Marou Diaby prit la flèche placée sous cellophane et disparut après un bref salut.

— Toi, Djiby, dit Mbaye en s'adressant à Sarré, tu va voir Mélanie. Tu lui demanderas le dossier Sérigne

Ladji et tu me convoqueras pour 15 heures ceux dont les noms figureront sur la liste.

Il gratta sur une feuille quelques chiffres et lettres servant de code d'accès à Mélanie. Sarré s'empara du bout de papier et s'éclipsa à son tour.

Mélanie était le nom du terminal d'ordinateur installé dans le bureau des transmissions. Elle donnait accès à un fichier spécial et secret composé des noms des trois cents principales personnalités de la capitale Kiando et pour chacune d'entre elles les noms des trois personnes qui avaient le plus de raison d'attenter à leur vie. Tous les noms étaient codés et le code changeait à chaque utilisation de Mélanie. Le fichier était alimenté d'informations en provenance des archives de la police, des enquêtes spécialement effectuées, des témoignages, des renseignements donnés par les indicateurs. L'acquisition du terminal et la constitution du fichier avaient été possibles en raison du sous-emploi de l'ordinateur central du ministère de l'Intérieur, trop grand pour les menus services qu'on lui demandait. Il aurait fallu un appareil aux capacités dix fois moindres. Cette aubaine arrangeait Mbaye qui pensait à d'autres utilisations possibles de Mélanie. Elle était sa fierté. C'était le souffle de modernité dans la vieille bâtisse de style colonial du commissariat où même le téléphone ne marchait pas correctement.

— Toi, Prosper (l'inspecteur Prosper Ndiago accentua son attention), tu vas voir tes indicateurs. Aucun indice n'est à négliger.

Ndiago se leva à son tour, passa aux toilettes d'où il ressortit complètement déguisé en voyou. Les cheveux ébouriffés, le blouson aux coudes usés, les lunettes fumées, tout y était. Pour parfaire le déguisement, il adopta un rictus de dur à cuire qui accusait une balafre récoltée dans une bagarre de jeunesse. Il pouvait véritablement donner le change. Il enfourcha une vieille moto qui traînait dans la cour et se dirigea en pétaradant vers le « marché des voleurs » du côté du port. C'est là que les truands de petite envergure et les contrebandiers venaient écouler les produits de leurs coups. Parmi eux se trouvait un des indicateurs de Ndiago.

Mbaye se tourna vers l'inspecteur Diallo, qui se demandait quelle serait sa mission et piaffait d'une impatience contenue à l'idée de pouvoir aller sur le terrain d'enquête.

— A toi maintenant, Diallo. Tu interrogeras les témoins du bar convoqués par Sarré. Il les a déjà interrogés mais très brièvement. A toi d'approfondir l'interrogatoire. Essaie d'en savoir plus sur la nature réelle des relations Ladji-Abia et Abia-Kandimi. Tu me feras un rapport. Par ailleurs, ce sera à toi de garder la maison. Tu es le plus gradé des inspecteurs. Tu prendras les décisions qu'il faudra pour l'avancement de l'enquête. Moi, je rentre chez moi me décrotter et dormir un coup. Cette affaire me semble très importante, c'est le moins qu'on puisse en dire. Il me faut la traiter l'esprit et le corps dispos. Je serai de retour à 15 heures. N'hésite pas à m'appeler en cas de besoin.

— Bien, commissaire ! dit Diallo en se levant et en saluant.

— Pas la peine de te lever. Reste ici. Tu vas recevoir les communications de tes collègues en mon absence. Et je répète : n'hésite pas à m'appeler.

3

L'inspecteur Marou Diaby était optimiste en franchissant les grilles du Musée fondamental africain. Il pensait n'avoir qu'à demander au conservateur pour obtenir le renseignement concernant la flèche. Mais il dut rapidement déchanter. L'établissement ne présentait pratiquement que des armes de type général. Les modèles non courants étaient rares. On montra à Diaby un catalogue d'armes de jet : arcs et flèches, sagaies, harpons. Mais la flèche qui l'intéressait n'y figurait pas. Il se rendit par la suite chez les antiquaires du centre-ville. Là, on fit des rapprochements et on releva de vagues similitudes avec divers types de flèches. Mais rien de précis et de formel n'en sortit. Par contre, tous les antiquaires montrèrent un intérêt certain pour la flèche et tous voulurent l'acquérir, et se proposèrent d'en faire des copies. Plus tard, Diaby contacta des historiens et des ethnologues. Par souci de ne pas donner de réponses erronées, ceux-ci firent des croquis de l'arme, notèrent les caractéristiques et promirent d'envoyer les résultats de leurs recherches.

Diaby fit son rapport qu'il remit à Diallo.

L'inspecteur Ndiago téléphona au commissariat qu'il était sur une piste. Il dit à Diallo qu'il avait l'intention de préparer une expédition contre une forge villageoise qui fabriquait clandestinement des flèches et des coupe-coupe pour la bande de Sangala. Il demanda donc qu'on lui prépare un véhicule et qu'on avertisse les brigadiers Sidi et Bangoura de se tenir prêts à l'accompagner.

Sarré avait consulté Mélanie. L'ordinateur lui indiqua les noms des trois premiers suspects en cas de mort brusque de Ladji. Il s'agissait de Habibou Mingoro, de Badou Traoré et de la dame Sita Dinta. Il signala à l'inspecteur Diallo qu'il allait établir les convocations et qu'il irait chercher lui-même les trois personnes en question.

Quand le commissaire Mbaye revint à 15 heures, il trouva dans le couloir qui servait de salle d'attente un homme et une femme qui semblaient n'attendre que lui. Il répondit d'un geste rapide au salut de l'homme, un maigrichon habillé d'une saharienne. Puis il serra la main que la femme, maquillée et parfumée, lui tendait avec un mouvement qui se voulait charmeur. Diallo se leva dans un garde-à-vous impeccable à l'entrée de son chef et lui laissa le fauteuil. Il exposa brièvement les résultats des missions de ses collègues et donna un premier résumé de l'interrogatoire des témoins du bar.

— Le barman et la serveuse ont déclaré n'avoir remarqué rien d'inhabituel dans le comportement de Ladji la nuit du meurtre, commença-t-il. Ladji ne donnait signe ni de peur, ni même d'inquiétude. Il était au contraire assez gai. Il a bu une demi-bouteille de gin et incommodait les clients du comptoir par son tapage. A un moment donné, il a ostensiblement demandé la recette au barman qui voulut la lui remettre dans une enveloppe discrète. Mais il l'ouvrit devant tout le monde, en compta le contenu à haute voix tout en disant de quelle manière il allait l'utiliser. Il avait retiré quelques billets de banque et avait lancé en ricanant qu'il allait baiser avec et devait goûter une gentille nouveauté de fille. Ensuite, il a mis de côté une liasse et a déclaré que cette somme était destinée à ses enfants. « Je veux être traité de tout ce qu'on voudra, avait-il dit, mais pas de mauvais père. » Il a parlé aussi d'une femme qui l'attendait chez lui et qu'il a qualifiée de grosse vache, bonne à manger du foin. A la question concernant les relations Ladji-Abia, le barman a affirmé n'en rien savoir, étant lui-même nouveau à son poste. Les quatre autres témoins, tous des étudiants habitués des lieux, ont confirmé les dires des deux employés sur le tapage et la scène de la remise de la recette. Tous les témoins sont par ailleurs catégoriques : Abia est bien entrée au bar en compagnie de Kandimi. Elles semblaient se connaître et se sont dirigées droit vers Ladji qui, visiblement, les attendait. Mbaye félicita Diallo et prit place derrière le bureau. Ces quelques heures de repos avaient suffi pour le détendre des journées de veille précédentes.

Mingo se leva d'un bond du banc du couloir quand on l'appela. L'homme était miné par l'alcool. Le fléau l'avait frappé dans ses forces vives et il ne lui restait pas grand-chose de sa corpulence normale. Il ne dessoûlait pratiquement pas depuis six ou sept mois. C'était lui le poivrot qui avait roulé sous la table à l'Abreuvoir. Il fouilla dans les poches de sa saharienne et en retira un flacon de mauvais whisky qu'il porta aussitôt à la bouche et téta goulûment. Une fois le flacon rebouché et remis en place, il se composa une démarche gaillarde.

Mbaye ne lui rendit ni son sourire engageant, ni son salut à forte odeur d'alcool, et lui intima l'ordre de s'asseoir. A voix basse mais parfaitement audible il lança un juron et se promit de sermonner le policier qui avait permis qu'un convoqué arrive à l'interrogatoire dans un tel état.

— Il est formellement interdit de boire dans l'enceinte du commissariat. Tu entends : formellement interdit !

— Je vous demande pardon, commissaire. C'est ma dernière bouteille. C'est elle qui sert à enterrer ma vie d'ivrogne en même temps qu'à fêter la bonne nouvelle.

— Quelle bonne nouvelle ?

— Mais la mort de l'hyène ! Crevée la bête !, dans les règles de l'art.

Il rit d'une joie sans tache. Sa voix, sapée par la boisson, avait une intonation particulièrement criarde qui énervait le commissaire.

— De quelle hyène parles-tu ?

— Mais c'est ce qui m'amène ici, commissaire. Il y avait une hyène à face humaine du nom de Sérigne Ladji. Elle est morte comme doivent mourir les immondices de son espèce, proprement trouée, rendant sang et excréments. (Mbaye roula les yeux d'étonnement et de désapprobation.) Malheureusement, continua l'ivrogne, je m'étais un peu assoupi pendant que l'événement (il appuya sur ce mot) se déroulait dans la rue. J'aimerais bien rencontrer et féliciter celui qui a accompli cette œuvre de salubrité publique. L'avez-vous trouvé ?

— Tu es convoqué pour répondre à un interrogatoire, fit Mbaye sèchement. Tu ferais mieux de répondre aux questions au lieu d'en poser. Tu es l'un des témoins et surtout tu figures parmi les tout premiers suspects.

— Moi ? (Etonnement dans les yeux et la bouche grands ouverts.)

— Absolument ! Tu as dans le passé menacé publiquement et à plusieurs reprises, de tuer ton ancien patron Sérigne Ladji. Quand tu proférais ces menaces, tu étais toujours dans un état d'ébriété très avancé, mais le fait est là : tu avais l'intention d'assassiner Ladji. Maintenant qu'il est mort, tu vois où vont les soupçons ? Pour quel motif voulais-tu le tuer ?

A cette question, Mingoro se ressaisit tout à fait. La haine pour son ex-patron semblait être son souffle vital. Et la question qu'on venait de lui poser attisait cette haine car elle lui faisait revoir de façon vive les raisons de son ressentiment. De son visage disparut toute trace d'ébriété. Il fit un effort pour rester calme et articula posément.

— Merci, commissaire, de me poser une telle question. C'est la première fois que quelqu'un s'intéresse à mes problèmes.

— Garde tes salades et réponds à ma question !

— Ecoutez, commissaire, vous ne pouvez imaginer ce que ce type m'a fait. Vous... Vous (il se prenait à bégayer sous le coup de la colère). Vous ne pouvez savoir. Il m'a fait travailler un an et cinq mois sans jamais me payer un seul jour. (Il pointa son index en l'air pour souligner le chiffre.) Dix-sept mois à travailler, à suer pour lui, à supporter brimades et humiliations de sa part. Et finalement se retrouver dans la rue sans une heure de payée. Le croiriez-vous ?

— Les questions, c'est moi qui les pose ! (Il souligna son propos d'une main qui tranche.) Tiens-toi-s-en aux réponses et les choses suivront leur cours normal. Donc, au bout de dix-sept mois, selon tes affirmations, tu as quitté le travail chez Ladji ?

— Quitté ? Non, pas quitté ! J'ai été renvoyé comme un chien. Il a profité d'une faute mineure pour me licencier. Mais, en fait, son plan était établi à l'avance. Il s'était comporté de la même façon avec d'autres avant moi.

— En quoi constituait ton travail chez Sérigne Ladji ?

— J'étais son barman. Je m'occupais de l'Abreuvoir. Barman, c'est peu dire ! En réalité j'étais partout ! Au comptoir, au service des tables. Je m'occupais de la comptabilité et en plus je me tapais le ménage du bar la plupart du temps car il prenait rarement quelqu'un pour ce travail. Il m'envoyait faire toutes sortes de courses qui n'avaient rien à voir avec le travail du bar, comme badigeonner les murs de sa villa.

— Avais-tu signé un contrat ?

— Un contrat ? (Mingoro fit un sourire amer en coin.) Il ne signait jamais quoi que ce soit. Et si par hasard il écrivait une lettre d'embauche à l'essai, il ne tenait pas compte des clauses que lui-même y incluait. A moi, il avait promis verbalement un contrat en cas d'embauche après une période d'essai.

— Pourquoi ne pas l'avoir appelé devant un tribunal quand tu as vu qu'il ne payait pas ?

— C'est qu'il m'avait dit que je ferais d'abord une période d'essai. Cette période d'essai s'est prolongée puisque dix-sept mois plus tard, j'en étais au même point. Il éludait toutes les entrevues que je voulais avoir avec lui à ce sujet. Ladji agissait ainsi parce qu'il était sur de l'impunité. Sincèrement, commis-

27

saire, pensez-vous que j'aurais pu gagner un procès alors que je ne peux présenter aucune preuve d'embauche ? Et même avec un contrat régulier, quelle chance ai-je de gagner contre un patron, de nos jours.

Mbaye esquissa un geste gêné et enchaîna :

— Pourquoi n'as-tu pas alors quitté ce travail qui, d'après toi, ne t'apportait aucun revenu ?

— La raison est simple, commissaire. Je ne pouvais pas facilement trouver une autre place et donc je m'accrochais à celle-là. J'avais bien sûr conscience des irrégularités de cette embauche à l'essai mais je pensais qu'il valait mieux ne rien brusquer jusqu'à ce que j'obtinsse un contrat, si imparfait soit-il. Je devais jouer de patience afin d'obtenir une embauche ferme et alors j'aurais pu faire état de revendications.

Mingoro tâta ses poches. Mbaye l'arrêta aussitôt.

— Je t'ai déjà dit qu'il était interdit de boire ici !

— Je cherche mes cigarettes, protesta Mingoro.

— Tu fumeras après l'interrogatoire ! (Une pause.) Dans quelles conditions as-tu cessé de travailler chez Ladji ?

— Un jour il m'a accusé d'avoir puisé dans la caisse. Mais c'était faux ! Je n'osais toucher à la recette parce que j'étais très surveillé de ce côté et j'avais sur la tête la menace de l'essai révocable sans préavis. Je restais irréprochable dans l'espoir que cela jouerait pour moi. Mais il n'en a rien été ! Ce qu'il m'a fait, c'était du vol, de l'assassinat ! Cet individu était un criminel ! Car avec quoi pouvais-je vivre ? Rien ! Comment venir en aide à ma famille restée au village et mourant de famine ? J'ai pu survivre grâce aux pourboires que je recevais dans le bar. Quand je pense que tout le monde me mettait en garde contre les méfaits de Ladji. Cet ignoble individu était vraiment à liquider !

— Et donc tu l'as tué ! lança Mbaye, affirmatif.

— Mais non, ce n'est pas moi ! cria Mingoro. Il y avait quelqu'un qui lui en voulait encore plus que moi. Et ce quelqu'un était bien plus décidé que moi. Mais ce type aura en tous cas vengé bien des gens dans Kiando et aura rendu la sérénité à bien d'autres !

28

— Si tu avais eu l'occasion de tuer Ladji, l'aurais-tu fait ?

— Il est mort maintenant, commissaire. La question ne se pose plus...

— Si, si, justement ! Réponds à ma question !

— Eh bien oui ! Je l'aurais abattu si j'en avais eu l'occasion.

— N'est-ce pas, fit Mbaye victorieux. Mingoro, nous allons alors te garder ici quelques jours jusqu'à ce que l'enquête établisse les preuves tangibles de ta culpabilité.

— Mais je n'ai rien fait ! Vous ne pouvez me garder ! (Mingoro s'était brusquement levé.)

— C'est exactement ce que je vais faire. Tu es suspect dans cette affaire. Un des tout premiers. Non seulement tu reconnais avoir menacé de mort la victime, mais encore tu avoues que tu serais à même de mettre cette menace à exécution. Ce sont là des présomptions qui suffisent pour inculper un suspect. Bien sûr tu étais ivre-mort au moment du crime. Mais il est possible que ce fût une mise en scène après que tu aies confié la tâche à quelqu'un d'autre.

— Mais avec quel argent aurais-je pu payer un tel service ? (Il gesticulait, ayant perdu tout contrôle de ses nerfs.)

— Ce n'était pas forcément un service à payer. Tu as pu t'entendre avec quelque ennemi de Ladji auquel tu aurais donné un coup de main, en le renseignant par exemple sur les habitudes et les horaires de Ladji. L'enquête établira ton rôle exact. Koloba !

Il appelait un de ses hommes. Un colosse au front bas et aux yeux rapprochés se présenta dans un garde-à-vous sonore.

— Koloba, mets-le au trou et occupe-toi de lui. (Les yeux de Mingoro étaient presque sortis de leurs orbites à force de frayeur ; mais Mbaye le rassura.) Koloba ne te fera pas de mal si tu restes raisonnable. Il veillera à ce que tu manges décemment. Demain, nous reprendrons l'interrogatoire.

Dans le couloir, Mingoro ressortit son flacon de whisky, en tira vite quelques gorgées puis se mit à chanter : « Dieu existe ! Il se baladait hier soir du côté du boulevard de la République ! Louée soit sa divine justice ! » Il ponctua sa tirade de nouveaux glouglous. Le policier lui confisqua la bouteille et, d'un coup de brodequin envoyé au derrière, il le fit avancer d'un pas précipité.

4

On devinait les quarante ans de Sita Dinta aux coins des yeux marqués par les rides de l'âge. Des yeux qui scrutaient et soupesaient l'interlocuteur et qui lui donnaient un regard aiguisé à force de ruse et de calcul. Mais le reste du visage la rajeunissait. Il respirait la fraîcheur et la santé sous un léger maquillage. Elle avait des gestes fréquents vers ses cheveux décrêpés qu'elle semblait vouloir lisser. En fait, elle s'assurait que sa perruque tenait bien en place. Elle arborait une broche en or sur son tailleur. Un parfum insistant embaumait plusieurs mètres autour d'elle. Tout dans cette femme tendait à impressionner par la beauté, l'élégance et la richesse. Dès son entrée dans le bureau, elle décocha un sourire éblouissant de dents blanches auquel Mbaye répondit par politesse. Il lui offrit galamment une chaise. Et pourtant il se disait qu'il se ferait un plaisir de coffrer cette femme s'il s'avérait qu'elle était derrière le meurtre de Ladji. Il cherchait à la pincer depuis longtemps en raison de ses activités louches liées au proxénétisme et à la drogue mais difficiles à prouver. Son intuition, ses ruses et ses relations l'avaient toujours tirée d'embarras, parfois in extremis.

Avant que Mbaye n'ait ouvert la bouche, elle protestait avec le calme et l'accent de la bonne foi.

— Je ne comprends pas, commissaire. On me fait venir à la police pour une affaire qui ne me concerne ni de près, ni de loin. Je ne vois pas, alors pas du tout,

31

en quoi je pourrais être impliquée dans une affaire concernant un certain Sérigne Ladji. Je ne connais même pas cet homme, ce Sérigne Ladji.

Mbaye prit tout de suite goût au jeu de la dame.

— Ainsi, vous ne le connaissez pas, fit-il dans la langue du pays.

— Puisque je n'en ai jamais entendu parler, rétorqua Sita Dinta, toujours en français.

— Dans ce cas, nous avons fait une sérieuse gaffe, enchaîna-t-il dans la même langue qu'il avait employée et avec le ton de la désolation même. Tourmenter une honnête citoyenne, sans tache, droite, et tout et tout, c'est impardonnable. Nous allons arranger ça tout de suite. Koloba !

— Oui, chef ! (Le garde-à-vous claqua sec.)

— Je voudrais te confier l'interrogatoire de cet ange.

— Vous n'allez pas faire ça ? fit la dame subitement alarmée. Non, se rassura-t-elle, vous voulez me faire marcher. J'ai bien vite compris, allez ! (Sous le coup de la peur, elle avait retrouvé l'usage de sa langue maternelle.)

— Koloba.

— Oui, chef !

— Exécution !

— Bien, chef ! (Il se tourna tel un automate vers Sita Dinta, l'air vraiment méchant.) Allez, viens, poulette. Ça va être ta fête ! Avec moi, les fleurs sont vite fanées !

Il lui saisit le poignet avec une telle brusquerie qu'elle poussa un gémissement terrifié. Elle se dégagea vivement.

— Quel sauvage, siffla-t-elle en se massant le poignet meurtri.

Koloba fit mine de saisir le bras de nouveau. Elle recula, paniquée, entraînant la chaise dans son mouvement.

— Arrêtez-le, commissaire, supplia-t-elle, les deux bras levés devant elle dans un geste dérisoire de défense.

— Koloba.

— Oui, chef !

— Rompez !

— Bien, chef ! (Le policier géant claqua des talons et sortit.)

— Madame Dinta, vous aviez l'intention de tuer Sérigne Ladji ?

— Moi, tuer Sérigne Ladji ? Je serais incapable de tuer une mouche ! Mais d'abord qui est-il, ce Ladji ?

— Koloba !

— Non, ne l'appelez pas. Attendez !

— Bon, voilà, j'attends ! dit Mbaye en croisant les bras sur la poitrine et après avoir discrètement fait signe à Koloba de ne pas entrer.

— Je ne voulais pas tuer Sérigne Ladji, déclara Sita Dinta.

— Et pourtant vous avez eu une formule originale pour le menacer. En effet, vous avez dit que vous le feriez dispenser de cet exercice fatigant qu'est la respiration. Fin de citation. Je pourrais donner des lieux, des dates et d'autres précisions. Vous voyez que c'était une mauvaise tactique que de jouer l'innocence.

— Je vois que vous êtes renseignés. Bravo !

— Maintenant Ladji est froid. Il ne respire plus. Je pense qu'il était trop fatigué pour continuer à le faire. Et c'est vous sans doute qui l'avez aidé à se reposer !

— Non, oh non ! (Elle marqua sa dénégation d'un recul instinctif du buste, les yeux écarquillés de stupeur.) Je ne suis pour rien dans cette affaire. De toutes façons, le différend qui nous opposait était en voie d'être réglé.

— Tiens, tiens, tiens ! (Le ton du commissaire était très intéressé.) Expliquez-moi donc la nature de ce différend !

— Sérigne Ladji a mené une concurrence déloyale contre mon bar « Le Sahel » situé dans le même quartier que l'Abreuvoir.

— En quoi cette concurrence était-elle déloyale ?

Un éclair de colère passa dans les yeux de la femme.

— Cet ignoble individu faisait dire partout que la

bière que je vendais, et dont j'avais l'exclusivité de la marque, rendait les hommes impuissants. C'était une marque nouvelle et au début le succès avait été immense. Mais en quelques jours j'ai perdu presque toute ma clientèle à cause de cette calomnie. Il voulait ainsi m'obliger à fermer et s'approprier ma clientèle et peut-être tout simplement mon bar. Mais son opération a échoué car j'ai fait remplacer la bière par le vin rouge, moins rentable, il est vrai. Cela m'a permis de retenir des clients et de faire fonctionner mon établissement. La désaffection prolongée des consommateurs et surtout la dénonciation de mon contrat d'exclusivité avec mon fournisseur ont entraîné des préjudices financiers dont je ne me suis pas encore relevée.

— Et alors vous lui avez gardé une dent qui n'était pas de sagesse !

— Je voulais lui retourner la monnaie de sa pièce.

— Où avez-vous trouvé l'argent pour faire face à vos problèmes financiers et (il détailla le tailleur et les bijoux du regard) garder votre standing habituel ?

— Des banques m'ont avancé certaines sommes.

— Des banques ou... des banquiers ?

— C'est la même chose, non ?

— Pas du tout ! La nuance est de taille. Une banque exige obligatoirement des garanties, que vous ne pouviez en principe fournir à l'époque, le bar étant près de la faillite.

— Disons donc que ce sont les banquiers qui m'ont aidée.

— Comme ça, pour vos jolis yeux ?

— Pourquoi pas ? Mes yeux inspirent confiance ! Vous ne trouvez pas, vous ?

— Restons dans le domaine du sérieux ! Ces banquiers vous ont demandé ne serait-ce qu'une toute petite garantie ?

— Mais je leur ai donné ma parole !

— Eh ben ! fit-il ironique, la bouche qui a donné cette parole doit être située bien bas. (Sita Dinta accusa le coup sans montrer d'émotion.) Et où se passaient les transactions ? (A cette question, elle regarda ailleurs). Au lit bien sûr, c'est élémentaire ! Mais ceci est secondaire ; revenons au meurtre. Dites-moi où vous étiez le vendredi de minuit à quatre heures !

— Je n'ai pas quitté mon bar de toute la journée et la nuit du vendredi, fit-elle calmement. C'était le jour du changement de nom du « Sahel » qui avait été rénové et rebaptisé « L'Oasis ». Mes employés peuvent témoigner que j'étais présente à l'ouverture à 20 heures, que j'ai reçu clients et invités et que j'ai supervisé le service jusqu'à 6 heures du matin.

— Nous ne manquerons pas de vérifier.

Mbaye croisa ses mains sur la table, regarda la dame bien en face.

— Il y a trois semaines, vous vous êtes rendue en brousse. Qu'est-ce qui vous a amenée à faire ce voyage au village ?

— Décidément vous êtes au courant de tout. J'étais partie voir une tante à moi. Je vais toujours la voir quand les choses ne vont pas chez moi. C'est elle qui me console et qui me guide par ses conseils. Elle possède des connnaissances ésotériques et beaucoup de bon sens. Avec elle j'ai confiance. C'est elle qui m'a redonné la force pour me battre contre Ladji et résister pour la survie de mon bar.

— Vous avez ramené des poteries du village ?

— Oui, ma tante est potière.

— Très intéressant. Cela veut dire que son mari, votre oncle donc, est forgeron. Car le métier de potière est traditionnellement réservé aux épouses de forgerons.

— C'est exact. Mais quel rapport ?

— Quel rapport ? Voyons ça ! Que fabrique un forgeron ?

— Des outils !

— Et quoi d'autre ?

— Mais où voulez-vous en venir ?

— A ceci : un forgeron fabrique aussi des armes. Des arcs et des flèches, entre autres. Pas vrai ? Or, votre oncle est forgeron. Il peut très bien fabriquer des flèches et s'en servir. Et cela nous ramène au meurtre du boulevard de la République.

— Mon oncle, se servir d'un arc ? Il a dans les soixante-cinq ans au moins !

— Admettons ! Quelqu'un de plus jeune, un cousin ou tout autre homme de main par exemple, peut avoir fait le travail. C'est simple, vous payez et il se charge d'exécuter Sérigne Ladji. C'est bien ainsi que ça s'est passé ?

— Non, il n'y a rien eu de tel ! (Elle tira de son sac un mouchoir rose parfumé dont elle s'essuya le front perlé de sueur.) Je vous assure que je ne suis pour rien dans la mort de Ladji. Je vous le jure !

— C'est au tribunal que vous pourrez jurer. Ici c'est irrecevable.

— Je vous en supplie, commissaire, croyez-moi. Je n'ai rien à voir dans cette affaire.

— Vous vouliez tuer Ladji !

— Mais je ne l'ai pas fait. C'est bien vrai qu'il y a eu une altercation entre nous. On nous a séparés à temps, sinon, c'est vrai, je comptais sérieusement le saigner. Je l'aurais tué dix fois ce jour-là. Finalement j'ai renoncé à ma vengeance et j'ai décidé d'oublier parce que mon bar allait prendre un nouveau départ, assez prometteur pour que j'oublie les déboires passés. Croyez-moi, commissaire Mbaye, je me sens trop menacée par la police pour m'impliquer dans une histoire de meurtre.

— Je n'en sais rien. Maintenant vous pouvez disposer. Nous reprendrons l'interrogatoire demain. Présentez-vous donc dès qu'on vous convoquera. N'essayez pas de fuir ou de vous cacher. Ce serait là une preuve pour nous et je ne manquerais de profiter de cette aubaine pour vous rechercher et vous coffrer en attendant la fin de l'enquête. Compris ?

— Compris, commissaire ! Merci, commissaire ! dit-elle précipitamment en se levant.

Dans le couloir, elle rencontra Koloba, qui, le visage toujours méchant, émit un rugissement féroce. Et cette femme, qui était venue pleine d'aplomb et d'arrogance, réagit par un caquètement de poule effrayée et accéléra sa marche vers la sortie.

Dans son bureau, Mbaye appuya sur l'interphone et donna à l'un de ses hommes l'ordre de filer Sita Dinta.

5

L'inspecteur Sarré quitta la grand-route et s'engagea sur la route non bitumée qui menait au cimetière, à la sortie de la ville. L'enterrement de Sérigne Ladji avait drainé une foule de tenanciers de bars, de restaurateurs, de fournisseurs en boissons, de clients fidèles et d'une demi-douzaine de prostituées qui enfreignaient ainsi délibérément la loi islamique sur la présence des femmes aux obsèques. En passant entre les tombes, Sarré s'étonna de la disparité entre les sépultures. Et chaque fois qu'il venait au cimetière, c'était la même chose. Il pensait que l'Islam interdisait expressément de différencier les tombes des fidèles par des marques de richesse. Certaines tombes étaient recouvertes de marbre et de matériaux précieux, manifestation de l'amour ou de la vénération qu'on portait au défunt. Ou tout simplement désir d'ostentation de la famille. Tous les hommes arrivent égaux devant le jugement de Dieu. C'est ce qu'il avait semblé à Sarré d'après ce qui lui restait de son passage à l'école coranique. Il se promit de fouiller la question avec un de ses amis islamisant.

Il parvint au groupe funèbre réuni autour de la fosse fraîchement creusée au moment où se terminait l'éloge du défunt. On ne voyait pas celui qui le disait mais sa voix était nette et solennelle : « Sérigne Ladji était un ami du peuple. Il avait foi au peuple et au pays. Le peuple et le pays étaient tout pour lui. » Sarré fit une grimace qui en disait long sur son scep-

ticisme à l'égard de l'amour de Ladji pour le peuple.
Badou Traoré se distinguait par sa haute taille et
sa chéchia rouge brique. Sarré se faufila et arriva à
lui.

— Monsieur Badou Traoré ? demanda le policier.

— Qui êtes-vous ? rétorqua Traoré sur le qui-vive.

— Inspecteur Sarré, du commissariat du neuvième
secteur.

Le nom de Sarré disait quelque chose à Traoré, il
était sûr de l'avoir rencontré quelque part. Mais comme
il ne se rappelait pas où, il conclut que Sarré ne devait
pas être quelqu'un d'important et renonça à chercher
dans sa mémoire.

— M. Traoré, j'ai une convocation pour vous. (Il
lui mit un papier dans la main et ajouta :) C'est pour
tout de suite.

— Qu'est-ce que j'ai fait ? (Traoré était sérieusement alarmé.)

— Je n'en sais rien. Mais veuillez me suivre au
commissariat. Nous avons des questions à vous poser
au sujet du meurtre de Sérigne Ladji. Je vous recom-
mande de me suivre pour éviter tout désagrément.
Nous vous laisserons partir si nous ne trouvons rien
contre vous.

Sarré présenta alors sa carte pour éviter tout doute
sur sa qualité. Les deux hommes montèrent dans le
véhicule de service du policier.

— Ne vous inquiétez pas pour votre voiture, fit-il
à Traoré, j'ai pris des dispositions pour qu'on la ramène devant le commissariat.

Quand ils arrivèrent au commissariat, la dame Sita
en sortait, confortablement calée dans le fauteuil du
siège arrière de sa voiture et ayant repris son air rusé
et culotté.

Traoré se présenta à l'entrée du bureau, dit bonjour avant de franchir le seuil et tendit la main en
avançant. Ce faisant, il scrutait d'un œil aiguisé le
jeune commissaire qu'il n'avait pas, pas encore, dans
ses relations. Il le jaugea en quelques fractions de seconde. « Pas facile à manipuler ! » se dit-il. Et il se

promit de faire état de ses relations pour l'impressionner. Sitôt assis, il inspecta la pièce.

— Tiens, fit-il, mondain, je vois que vous avez enlevé le masque dogon que votre prédécesseur, le commissaire Cissoko, avait accroché là (il indiqua du doigt un endroit précis au mur et enchaîna sans attendre de réponse). Je le connais bien ce bon vieux Ibra. Un ami à moi depuis l'enfance. Maintenant c'est une météorite dans le firmament de l'Administration. Aujourd'hui, il occupe une des directions de la police. Bientôt, d'après ce qu'il m'a fait comprendre, il va monter dans la hiérarchie du ministère de l'Intérieur. Juste pour se faire la main. En attendant un portefeuille ministériel, qu'il aura, j'en suis sûr !

Mbaye pensa que Traoré le prenait pour un imbécile ou alors c'était Traoré qui était un parfait imbécile. Toujours est-il qu'il le laissa terminer son monologue. Il se leva et marcha lentement sur lui, les mains au dos. De sa position assise, Traoré se sentait dominé malgré son fort gabarit. La mise en scène avait donc lamentablement échoué.

— Pour quelle raison vouliez-vous tuer Sérigne Ladji ?

La question, posée de cette façon brusque, désarçonna Badou Traoré.

— Moi, tuer Ladji ? Mais je viens de son enterrement !

— La belle référence que voilà ! Ecoutez, Traoré ! Je n'ai pas beaucoup de temps, vous non plus sans doute. Alors nous allons nous entendre sur un point qui va accélérer les choses : je pose des questions, vous donnez des réponses. Des réponses sensées. Si vous essayez de me faire du cinéma, je vous retiens ici jusqu'à nouvel ordre.

— Tout à fait d'accord, commissaire ! (Traoré jura à voix basse ; il aurait donné cher pour faire venir Cissoko dans le bureau.) Vous savez, continua-t-il sur le ton de la confidence, la mort de Ladji m'a sérieusement touché ; c'était un frère pour moi.

— Un frère ennemi, alors !

— Ennemi ?

Mbaye tira un de ses bras de son dos et mit sous le nez de Traoré une photocopie de lettre.

— Cette lettre date de deux mois. (Il l'agita devant les yeux arrondis de Traoré.) Elle nous a été livrée, bien involontairement, par mademoiselle Abia que vous connaissez bien, très bien même. Elle l'avait dans son sac qu'elle a perdu hier soir et que l'un de nos agents a eu la bonne idée de fouiller. Cette lettre contient des menaces et c'est votre signature qui figure là en bas de page. Il n'y a aucun doute, nous avons vérifié.

Frappé par l'inattendu de l'attaque, Traoré remuait beaucoup sur sa chaise, comme s'il cherchait une voie par laquelle s'enfuir. Ses yeux globuleux roulaient dans leurs orbites.

Mbaye sourit. Il avait fait mouche. L'homme en face de lui était mûr pour la confession. Il continua avec le même ton ironique :

— Vous êtes toujours dans les histoires de fesses. Et ça, justement, c'est une histoire de fesses. Vous collectionnez les concubines et vous vous ruinez à les entretenir. Enfin, ceci est votre affaire.

Mbaye se redressa, fit quelques pas dans la pièce et revint vers le suspect.

— Résumons la situation qui est à la base de tout et ainsi cela vous rafraîchira la mémoire. Les trous de mémoire, c'est ce que nous détestons le plus ici à la police. Voilà : il y a quelques mois, Sérigne Ladji vous enlevait une jeune beauté du nom de Abia. Comment il s'y est pris, mystère ! Pourquoi elle a accepté d'aller avec lui ? Remystère ! Nous avons notre petite idée là-dessus, mais sans preuve, elle ne vaut rien. Continuons ! Voilà donc Ladji et Abia ensemble. Et ça, vous ne lui avez jamais pardonné. Cette histoire blessait votre orgueil et vous ridiculisait. Vos tentatives pour la reprendre faisaient ricaner toute la ville. Vous avez compris que vous ne pourriez la récupérer, alors vous avez décidé d'éliminer votre rival. De l'éliminer physiquement.

— Oh, non, commissaire, protesta poliment Traoré. Rien de vraiment grave dans cette affaire. Abia était juste une petite amie, provisoire par ailleurs ; c'était clair dès le début. Elle n'était pas ma femme, alors vous pensez ! Bien sûr, perdre Abia trop tôt m'avait un peu secoué, mais c'était après tout une liaison sans lendemain comme les autres.

— Cette lettre dit le contraire. Vous écrivez ceci : « Reviens-moi, Abia chérie. Je tiens à toi, reviens, etc. Si tu ne reviens pas, je tuerai Sérigne Ladji pour te reprendre ! » Et ce n'est pas tout, continua Mbaye. Passons à la deuxième lettre car il y en a une deuxième. Celle-ci a été adressée à Ladji quelques jours avant sa mort. Nous l'avons retrouvée sur lui. En voici un extrait : « Laisse-la, sinon je te tue comme un chien que tu es ! » Ces deux lettres sont accablantes pour vous et vous avez été bien niais de les écrire. Les écrits, ça reste. En tout cas, ces menaces précises peuvent vous valoir votre arrestation sur-le-champ.

Traoré baissa la tête, anéanti.

— Oui, j'ai commis là une grossière erreur. Je n'aurais jamais du écrire ces lettres. Mais il faut que je vous dise, commissaire, je ne pensais pas le tuer de mes mains.

— Comment alors ? demanda Mbaye.

— Je voulais utiliser contre lui des procédés magiques.

Il leva les yeux et regarda fixement le policier.

— Je vous assure que c'est vrai, enchaîna-t-il.

— Possible que ce soit vrai. En tout cas c'est original et amusant. Continuez !

— J'avais confié l'affaire à un marabout. Je lui avais demandé de désenvoûter Abia et de me la faire revenir. Car il m'avait dit qu'elle avait été ensorcelée. Je lui avais demandé aussi de jeter un sort fatal à Ladji. La mort à distance, c'est efficace et discret.

— Discret, peut-être, mais quant à dire qu'elle est efficace, permettez-moi de douter, dit Mbaye. Vous avez certainement aidé cette efficacité par un coup de flèche bien placé. Dites-moi, où étiez-vous la nuit du crime ?

— Chez moi ! Je suis rentré à 19 heures. J'ai laissé la voiture dehors toute la nuit. Beaucoup de gens ont pu la voir. J'ai par ailleurs eu une sérieuse engueulade avec ma femme à minuit et cela a repris aux environs de quatre heures et tout le quartier l'a entendu ; car pour crier, Counda n'a pas son pareil. Mais malgré cette dispute, elle peut témoigner que j'étais à la maison toute la nuit.

— Et si, insinua le commissaire, c'était un alibi fruit d'une habile mise en scène ? Vous engagez un tueur et vous rejoignez vos pénates pour y attendre les résultats...

— Mais pourquoi voulez-vous me coller à tout prix ce meurtre sur le dos ? Des tas de gens peuvent témoigner que je n'ai pas bougé de la nuit. Et pourquoi prendrais-je un archer qui se ferait vite coincer avec son arme encombrante ? Il existe des moyens moins voyants. Et puis, je n'ai pas tué Ladji. Faites votre travail, commissaire. Commencez donc par vérifier mes dires concernant mon emploi du temps de la nuit d'hier. Allez donc voir mon marabout. Avec mon autorisation, il vous dira tout ce que vous voulez savoir. Après vous pourrez m'inculper si vous retenez quelque chose contre moi.

— C'est justement ce que je vais faire. Vous pouvez partir. Mais soyez à notre disposition chaque fois que ce sera nécessaire.

Traoré salua l'officier de police et sortit. Dans le couloir, il se composa une allure de personnage important qui sortait la tête haute, blanchi de toute suspicion. Il décida de téléphoner au commissaire Cissoko pour demander sa protection.

Mbaye mit l'interphone en marche et ordonna à Sarré de s'occuper de Traoré.

6

Le brigadier Youssou ramena Kandimi, menottes aux poings, en fin d'après-midi. Un sourire victorieux aux lèvres, il présenta la fille à son chef.

Je l'ai cueillie chez une amie à elle qui habite dans une baraque non loin de la sienne. Je les ai trouvées en train de se partager l'argent.

Il déposa sur le bureau une grosse liasse de billets retenue par un élastique.

— Ce n'est pas la vérité ! protesta Kandimi. Nous étions en train de compter l'argent pour nous assurer qu'il n'y manquait rien et le rendre au commissaire Mbaye.

— Ah, bon ! fit Mbaye interloqué. Tiens, tiens !

— J'ai eu des remords, commissaire, dit Kandimi, et j'ai été touchée par les mots que vous avez dits pour moi. Alors j'ai décidé de vous rapporter l'argent que j'avais pris sur le cadavre de Sérigne Ladji.

— Incroyable ! Du jamais vu ! (Mbaye était sérieusement étonné.) Mais dis-moi, pourquoi as-tu compté l'argent, tu savais déjà le montant de la somme, non ? Parce que tu as dû entendre Ladji le compter.

— C'est vrai que je connaissais le montant de la somme. Mais les billets étaient tachés de sang. Il a fallu les laver et les mettre à sécher près du fourneau malgache de mon amie à laquelle j'avais confié la liasse quand je suis allée me changer. Nous avons compté l'argent après le séchage pour nous assurer qu'il ne manquait rien.

— Possible ! (En fait il n'en croyait rien.) Mais tu

m'as tout l'air d'être venue ici contre ton gré remettre cet argent, contrairement à ce que tu prétends. Les menottes, on ne les met pas aux gens de bonne volonté. Enlève-les lui, Youssou !

— Merci, commissaire, dit-elle en se massant les poignets avec soulagement. (Elle en profita pour réajuster son pantalon auquel il manquait le bouton du haut.) Ces menottes font partie du plan de Youssou. Il voulait faire croire ainsi que je ne voulais pas rendre l'argent.

— Mais c'est vrai ce que je dis ! cria le jeune policier. Je les ai surprises en train de se partager la somme !

— Doucement, Youssou, intervint le commissaire, laisse-la parler.

— Quand Youssou est arrivé chez mon amie, il a aussitôt défoncé la porte d'un coup d'épaule. Il nous a trouvées en train de classer et de compter les billets.

— De se les partager !

— Brigadier Youssou, fermez-la, c'est un ordre !

— Bien, chef.

Mbaye fit signe à Kandimi de continuer.

— Youssou s'est dirigé droit sur moi — nous étions assises sur le lit — et il m'a mis les menottes tout en m'insultant. Mon amie en a profité pour s'enfuir... Alors il a refermé la porte et il m'a violée.

— C'est faux ! (Youssou avait hurlé presque.)

Et vlan ! Il envoya une gifle qui déséquilibra la fille.

Kandimi ne voulut pas pleurer tant elle avait l'habitude des coups mais elle n'y put rien et ses larmes s'écoulèrent. Quand les glandes lacrimales sont secouées par un tel choc, les vannes s'ouvrent d'elles-mêmes. D'autant plus que s'y ajoute la rage ou le dépit.

Mbaye nota quelque chose sur son calepin et enjoignit fermement à Youssou de sortir. Kandimi continua son récit dans les larmes.

— J'ai tenté de crier quand il me violait mais il m'a frappé et il m'a menacé de la prison si je racontais ça à quiconque. Ensuite il a ramassé les billets et il m'a dit qu'on deviendrait amis si j'acceptais de partager l'argent avec lui. Comme ça il dirait dans son rapport qu'il n'a rien trouvé chez moi. Il voulait faire cinq parts. Une pour moi, une pour mon amie et les trois autres pour lui. Mais j'ai refusé. Alors il s'est fâché et il m'a encore frappée et il m'a de nouveau violée.

Mbaye émit des « ça alors ! » de colère.

— Après, il m'a amenée ici, conclut Kandimi.

— Bien, je t'ai entendue. Tu vas maintenant aller dans le couloir et attendre. Brigadier Youssou ! appela-t-il.

Youssou se présenta au garde-à-vous, très peu fier de lui-même.

— Est-ce vrai ce qu'elle a dit sur le viol et sur l'argent ? Attention à ce que tu vas dire, tu es assermenté.

Le jeune policier bredouilla fort pour dire finalement à voix basse : « C'est faux! »

— Vu que tu bafouilles, je conclus que ce qu'elle a dit peut être vrai. Brigadier, tu mérites d'être radié de la police et d'être mis aux arrêts.

— Non, non, chef, par pitié ! J'ai deux enfants à nourrir. Comment ferai-je ?

— Justement c'est à tes enfants que je pense. Et c'est ce qui m'empêche de mettre ma décision à exécution. Quand je t'ai dit de filer la petite, je t'avais expressément recommandé de ne pas faire de bêtises. Non seulement tu as abusé d'elle et tu l'as frappée mais encore tu t'es approprié cette somme que tu étais chargé de récupérer (il posa la main sur la liasse). Enfin mettons cela sur le compte du doute. Mais si cela était vrai, tu serais encore plus bas que cette fille. Par contre le viol, lui, peut être prouvé. Mais j'éviterai un tel déshonneur à la police. Et la gifle que tu as donné à cette fille devant moi constitue un signe d'irrespect caractérisé à mon égard. Voici les sanctions que j'ai prises contre toi : un mois de mise à pied, un avertissement avec inscription à ton dossier et six mois de voie publique. Tu iras régler la circulation. Espérons que cela te fera réfléchir pour ton propre intérêt. En tout cas tu peux te considérer comme un renvoyé en sursis, car à la prochaine gaffe, tu quittes l'uniforme. C'est donc une chance que je te donne. Estime-toi heureux de t'en tirer à si bon compte.

— Oui, chef !

— Dis à la petite qu'elle peut rentrer chez elle.

Kandimi attendait dans le couloir désert.

— Tu peux partir, lui aboya Youssou. Et que je ne te retrouve plus sur mon chemin.

Puis il se rapprocha de la fille avec l'intention bien arrêtée de l'humilier une dernière fois.

— A propos, dit-il avec un rire sarcastique, combien je te dois pour les deux passes ?

Kandimi se raidit sous le coup de la rage.

— Tu ne me dois rien, répondit-elle. J'ai même une petite gratification pour toi.

Et sans laisser au policier le temps d'esquisser la moindre réaction, elle lui envoya dans les testicules un coup de genou bien ajusté qui le fit se plier en deux et tomber à la renverse dans un tas de vieilles chaises. Kandimi expira bien fort de la satisfaction tirée de sa vengeance. Elle se sentit légère en franchissant les grilles du commissariat. Elle se mêla à la circulation piétonne, laissant derrière elle le brigadier Youssou gémissant doucement, tant la douleur lui ôtait toute force.

Le crépuscule tombait quand l'agent de police Bâ, dit Bouche-coincée en raison de son bégaiement, entra dans le bureau de Mbaye. Il était accompagné d'une jeune femme qu'il poussa devant lui.

— Je... Je... Je l'ai... trou... vée... chez...

— Je vois, interrompit Mbaye pour écourter le calvaire du policier. Tu l'as trouvée chez Ladji au cours de la fouille de sa maison. J'espère que tu as fait un rapport.

— Bien... bien... sûr... Ch ch ef !

Mbaye regarda le policier bègue et se promit de lui trouver une place où il aurait à parler le moins possible en attendant sa guérison. Il y a deux mois, Bâ s'était mis à bégayer un matin à son réveil et depuis toutes les thérapeutiques avaient échoué. Mais il ne désespérait pas de guérir.

La femme se tenait coite. Mbaye fut frappé par le pli d'amertume aux commissures des lèvres. Elle ne devait pas être heureuse du tout, se dit-il. Pas riche non plus. Ni la coupe des habits, ni la qualité du tissu n'étaient de mode depuis des années. La femme était un peu corpulente avec des joues rondes de jeune fille. Un visage qui révélait d'emblée une honnêteté foncière. Elle devait avoir dans les vingt-trois ans.

— On m'a annoncé la mort de mon mari. Rendez-moi son corps s'il vous plaît.

Elle avait parlé sans y être invitée mais s'était exprimée avec politesse.

— Qui est votre mari ?

Elle était gênée. La tradition lui interdisant de prononcer le nom de son mari. Elle inspira fortement et dit :

— Son nom est Maka Lomo.

Devant la mine ahurie du commissaire, elle ajouta :

— Ici à Kionda il se faisait appeler Sérigne Ladji.

— Mais Sérigne Ladji n'était pas marié !

La femme dénoua un mouchoir qu'elle tenait au creux de la main, en tira des papiers d'état civil et des photos. Mbaye lui offrit alors une chaise. Elle déposa les documents sur la table. Sur les photos, on la reconnaissait facilement. On reconnaissait aussi avec quelques efforts l'homme avec lequel elle posait en studio de photographie. C'était bien Sérigne Ladji quelques années auparavant, souriant d'un sourire commandé par le photographe. Il était sur l'image moins arrogant et bien moins avachi par l'alcool.

— Et cet homme s'appelle Maka Lomo ? dit Mbaye en montrant les photos.

La femme retira des documents une carte d'identité qu'elle lui présenta. Elle était périmée mais le cachet était authentique. Elle montra aussi sa propre carte d'identité et le certificat de mariage du couple.

— Ecoutez, Madame. Cet homme est peut-être à la fois Sérigne Ladji et Maka Lomo. Pouvez-vous me laisser les papiers d'identité ? Je vous les rendrai après vérification.

Elle les remit sans hésitation.

— Et le corps ?

— Je suis sincèrement désolé que vous ayez été informée si tard. Il a été enterré en début d'après-midi.

— Nous n'aurons donc même pas eu son corps ! Elle étouffa quelques sanglots.

— Que voulez-vous dire ?

— Il y a neuf ans, il m'a laissée à Kénédougou en me disant qu'il montait à Kionda régler une affaire importante. Il m'a dit qu'il comptait s'y installer et qu'il nous ferait venir plus tard, notre enfant et moi. Il n'a pas voulu attendre la naissance de notre deuxième enfant qui devait avoir lieu dans la même semaine. Quatre mois ont passé et je ne recevais aucune nouvelle de lui. Je suis venue à Kionda plusieurs fois pour le chercher. Quand j'ai pu finalement le retrouver, il déjeunait dans un restaurant du centre-ville en compagnie d'une jeune fille. Il était devenu riche et se faisait appeler Sérigne Ladji. A ma vue, il s'est mis dans une violente colère et m'a fait chasser du restaurant. Il m'a crié qu'il ne voulait plus me voir. J'étais étonnée par sa conduite et j'avais honte, tellement honte que j'en ai pleuré. Par la suite il a envoyé quelques mandats à Kénédougou en précisant que c'était pour les enfants. Puis les mandats se sont espacés. Nous ne recevions rien depuis trois ans. Je vendais du lait caillé pour subvenir à nos besoins. J'avais mis aussi en location une partie de la maison mais c'était insuffisant... Je suis revenue hier pour le supplier une dernière fois de rentrer. Les enfants me posent tout le temps des questions sur leur père. L'aîné ne l'a pas vu depuis neuf ans. Quand à la cadette, elle ne sait même pas à quoi il ressemble... Comment leur dire qu'il nous a abandonnés, qu'il s'adonne à l'alcool, à la débauche ?

— Quand vous êtes revenue hier, l'avez-vous revu ?

— Oui, je l'ai revu.

Et elle revit comme dans un film l'entretien qu'elle avait eu avec son mari. Elle avait fini par retrouver son domicile et y était allée. Il devait être neuf heures quand elle franchit la porte d'une villa du quartier résidentiel Badala. Sérigne Ladji dormait tout habillé dans son lit. Elle l'avait secoué pour le réveiller.

— J'ai dit qu'on ne me réveille pas avant midi, grogna-t-il dans l'oreiller. Il pensait avoir affaire à la bonne et lui donna des ordres pour le menu du déjeuner.

— C'est moi Diaka, avait-elle dit, timide.

Il s'était alors vivement retourné.

— Diaka ! Qu'est-ce que tu fais ici. Ne t'avais-je pas dit de disparaître de ma vie ? Voilà la porte, et plus vite que ça, j'ai envie de dormir.

Mais Diaka était déterminée en venant dans cette villa. Elle lui avait répondu sur un ton résolu, écartant toute timidité.

— Je ne sortirai pas. Je suis venue te chercher et te ramener à la maison. Les enfants veulent te voir.

Il avait alors tendu la main vers une bouteille qui se trouvait sur la petite table près du lit. Il voulait boire de l'alcool, par automatisme ou pour se donner de la contenance. Elle avait saisi la bouteille de whisky avant lui et l'avait brisée sur le sol carrelé. Il semblait perdu sans sa bouteille.

— Qu'as-tu fais là, Diaka ? Mon whisky, mon bon whisky. (Il gémissait face à un tel gâchis.)

— Il faut que tu reviennes à la maison !

— Je ne peux pas. Je ne veux pas ! Ne vois-tu pas ce que je suis devenu ? Alcoolique et débauché. C'est ça que tu comptes présenter aux enfants comme étant leur père ?

— Les enfants veulent te voir. Leur vue te transformera sans doute.

— Je ne peux pas ! Je ne peux pas ! geignait-t-il en secouant la tête.

Puis il s'était mis à fouiller à la recherche d'alcool. Il était visible qu'il était en état de manque. Mais elle l'avait précédé dans son action. Elle avait déniché du gin qu'elle versa par la fenêtre, puis avait ouvert le réfrigérateur. Là, elle avait trouvé des bouteilles de bière qu'elle avait portées à la cuisine et qu'elle avait cassées dans l'évier. Ladji avait alors éclaté en sanglots. Il se sentait anéanti et incapable de réaction devant sa femme.

— Tu as gagné ! Tu as gagné ! Diaka. Mais il faut que je me prépare. Donne-moi encore une semaine pour que je puisse commencer à changer mes habitudes, pour que je me rende présentable aux enfants. Alors j'irai vous chercher, toi et les enfants et je vous ramènerai ici. Nous habiterons ensemble.

Diaka avait pensé qu'il opérait une diversion.

— Je ne quitterai pas ici toute seule. Il faut que tu viennes avec moi.

Le ton décidé de la femme avait rendu complète la défaite du mari.

— Elle ne part pas seule ! Mon whisky, je n'ai plus de whisky.

Il était faible et pitoyable et pleurait tel un enfant dont on avait cassé un jouet. Il s'était rassis sur le bord du lit et s'était pris les mains que le tremblement agitait.

— Il faut que je t'explique, Diaka. Je n'ai plus rien sur moi. Il faut que j'aille au bar percevoir la recette. Tu comprends ? (Il avait écarté les bras.) Il faut que je rentre avec quelque chose ; il faut des habits pour toi et les enfants. Regarde ce que tu portes. Cette camisole, ce pagne, on n'en fait plus depuis des années. Il est vrai que malgré tout tu es restée désirable.

Sa voix avait changé. Il avait repris un peu de son assurance de mari, sûr de son ascendant, octroyé par la tradition, sur son épouse. Il se leva et s'approcha d'elle, la regarda avec convoitise. Il la saisit par le bras et la tira au lit. Le désir impérieux de son homme troubla la jeune femme. Elle se débattit néanmoins, mais sans conviction.

— Diaka, ma femme, ma femme chérie.

Elle avait attendu ces mots pendant des années. Elle était émue et se retrouva étendue sur le lit, le pagne défait. Et déjà les larmes coulaient sur ses joues.

Ces images l'avaient coupée de la réalité. Elle rêvait, les yeux fixés nulle part. Mbaye lui secoua légèrement le bras.

— Hé, qu'est-ce qui se passe ? Vous dites que vous l'avez revu, que vous a-t-il dit alors ?

Deux larmes coulèrent sur ses joues d'adolescente.

— Il m'a dit de rester dans la villa et d'attendre son retour. Mais je ne devais plus le revoir. Tout est fini maintenant. (Elle secoua la tête, renifla en s'essuyant les larmes.)

Le commissaire Mbaye était ému au point de ne savoir que dire. Cette femme avait été trompée une fois de plus par son mari. Une fois libre, il avait disparu et, on l'a su par l'enquête, il avait loué une chambre d'hôtel d'où il comptait continuer à mener ses activités habituelles. Il aurait trouvé une ruse pour renvoyer sa femme à Kénédougou avec un peu d'argent et des promesses. Mbaye pensa alors à la liasse dans le tiroir. Il la prit et la lui tendit.

— Prenez, madame. C'est ce qu'il avait sur lui au moment de sa mort. (Comme elle hésitait, il la lui fourra dans la main.) Prenez donc ! C'est l'argent de votre mari, donc le vôtre. Prenez-le pour vous et vos enfants. Il a dit devant des gens que cet argent était destiné à sa famille.

Mbaye pensait aux paroles de Ladji : « Je ne veux pas qu'on dise de moi que je suis un mauvais père. » Il se raidit de colère à l'autre phrase : « J'ai une grosse vache à la maison. » Traiter de vache un être aussi digne, aussi fidèle, aussi réfléchi ! « Quel salaud », pensa-t-il. Il jeta un bref coup d'œil aux papiers déposés par Diaka : « Leur vérification sera une simple formalité. »

Diaka leva sur le commissaire des yeux pleins de gratitude et voulut le remercier.

— Non, ce n'est pas la peine, lui dit-il. Allez vite auprès de vos enfants. Nous verrons s'il a laissé un testament et nous vous appellerons. Allez courage ! Vous êtes jeune. A vingt-trois ans, on a toute sa vie devant soi et je suis certain que nombreux seront les hommes qui voudront épouser une si brave femme comme vous.

Elle esquissa un timide sourire et s'en alla.

7

Badou Traoré sortit de l'immeuble Kabré et reçut de plein fouet les rayons aveuglants d'un soleil de fin de matinée. Il s'arrêta un instant sur le seuil pour jouir de cette débauche de lumière et d'air frais venu de la mer toute proche. C'était dimanche et il n'y avait pas la circulation des jours ouvrables. Il y avait donc très peu de voitures dans la rue. Il inspira profondément par des narines qui ne trichaient pas avec leur négritude et sentit un immense bien-être l'envahir. Il était ivre de bonheur. Tout marchait à merveille. Il venait d'avoir trente-trois ans. L'argent rentrait dans les caisses de ses entreprises. Sérigne Ladji était mort et il avait récupéré Abia. D'ailleurs, c'était de l'appartement de la jeune femme qu'il venait. Il avait passé la nuit avec elle dans le luxueux trois pièces qu'il lui avait acheté dans l'immeuble. Il eut une pensée pour elle ; elle prenait encore son bain quand ils se sont dit au-revoir. Là-dessus, il émit un rot de satisfaction béate, remit en place d'un geste ample les manches de son boubou de bazin richement brodé. Il fit quelques pas vers l'escalier qui descendait au parking situé au bord de la rue.

C'est alors qu'il vit Atumbi dans un coin du petit hangar de planches qui servait de kiosque à journaux. Ce dimanche, il était vide. A la vue du jeune homme, Traoré marqua un léger arrêt et fit une grimace méprisante : « Encore un péquenot qui va me demander de l'argent ! » et il regarda ailleurs. L'instant d'après l'archer avait ajusté son coup. En une fraction de seconde il vit une scène qui accrut sa détermination et lui fit bander l'arc à craquer. Il voyait cet homme bien nourri, bien habillé, en bonne santé, aux pieds duquel s'agenouillaient deux femmes faméliques. Leurs bébés portés au flanc tétaient des mamelles flasques. Elles lui tendirent des écuelles sales et avides, implorant, l'œil creusé et fiévreux, de quoi survivre. Pour toute réponse il leur asséna un vigoureux coup de pied, un rictus méprisant aux lèvres. Les deux femmes s'affalèrent dans la poussière, les bébés toujours accrochés au flanc et se mirent à gémir d'agonie.

La flèche quitta la corde de l'arc comme si cette séquence l'avait fait partir. Elle miaula pendant son bref trajet, impatiente d'arriver. Elle s'implanta avec force dans la gorge, traversa sans difficulté les muscles sterno-cléido-mastoïdien. Elle causa des dégâts mortels dans le réseau formé à ce niveau par la carotide primitive droite, la veine jugulaire droite, l'œsophage et la trachée artère. Le sang ne montait plus au cerveau et la respiration était bloquée par le flot rouge qui obstruait les bronches. Traoré tenta d'arracher la flèche. Et ce fut son boubou vert qui en pâtit. Il essaya de crier. En vain. Il tint debout cependant et descendit l'escalier en titubant et en gesticulant mollement vers la rue. Cela dura quelques longues secondes comme dans les films où les acteurs en font trop et mettent un temps interminable à mourir. Traoré termina sa marche macabre au bas de l'escalier où il s'affala de tout son long. Le sang se mit alors à couler comme d'un mouton égorgé.

Atumbi cala son arc dans un carton d'emballage qu'il plia en jouant sur les arêtes. Il mit son bagage sous le bras et prit tranquillement la direction du quartier Bougosso, quelques rues en contrebas.

Le drame avait eu un témoin, un seul. De la fenêtre d'un appartement du quinzième étage, Gordo, un jeune cuisinier sourd et muet, avait vu Traoré tituber et tomber. Il avait vu aussi Atumbi rangeant son arme.

Un taxi freina à mort en passant devant l'immeuble. Le chauffeur en jaillit après avoir serré le frein à main d'un geste automatique. En trois enjambées, il fut près du cadavre, suivi de ses deux passagers.

— C'est mon patron, dit-il le visage douloureux. C'est lui le propriétaire de la société Traoré Taxis et Tous Transports. Prenez un autre taxi et continuez votre course, fit-il à l'adresse de ses passagers. Je vais avertir la police et annoncer la nouvelle à Madame Traoré.

Pendant ce temps, Gordo tapait frénétiquement à la porte voisine, celle d'Abia, et tentait de l'informer de ce qui venait de se passer.

La mort de Badou Traoré provoqua une belle bagarre de femmes... Quand Counda apprit la mort de son mari, elle éclata en sanglots. Mais c'était pour la frime. Aucune douleur liquide ne coulait de ce corps desséché abritant une âme tout aussi desséchée. C'était une pelote de nerfs, rusée, vindicative et belliqueuse. Comme elle n'obtenait pas de larmes, elle prit le parti de se composer un visage de deuil courageux, celui de la veuve éplorée qui supportait sa peine avec dignité. Dans son esprit défilaient déjà les taxis, les maisons, les boutiques laissées en héritage. Cela valait bien le cinéma auquel elle se prêtait pour le veuvage. Tout ce qu'elle regrettait c'était de ne pouvoir produire des larmes pour faire plus vrai.

C'est quand elle apprit le lieu du drame que tout se gâta. L'immeuble Kabré était la résidence d'Abia. Une résidence fournie par Traoré dès le début de sa liaison avec sa concubine. Counda le savait. Elle ne pouvait entendre le seul nom de Abia, qui avait accaparé le cœur de son mari. C'est elle qui avait humilié son mari et l'avait poussé à se ridiculiser devant toute la ville. Ce qui l'avait éclaboussé, elle aussi, par la même occasion. Mais ce n'était pas grand-chose à côté des préoccupations actuelles de Counda. Elle se demandait ce que la concubine avait manigancé pour monnayer son retour à Traoré. Sans doute Traoré lui avait signé un papier lui attribuant des maisons ou des fonds de commerce, bref, une part du gâteau. De son gâteau. Ce ne pouvait être que cela. La mort de Sérigne Ladji n'expliquait pas tout.

Elle avait déjà perdu toute apparence endeuillée quand elle s'engouffra dans le taxi. Elle s'enfiévrait au fur et à mesure qu'elle se parlait à haute voix. « Il est parti mourir chez cette chienne, dit-elle, venimeuse. Il m'a délaissée, moi, pour aller mourir chez cette femme de rien.» Et elle alimentait sa rage par toutes sortes de supputations sur le testament, sur les manœuvres et la perfidie de sa rivale.

Au bas de l'escalier gisait toujours le corps de Traoré. On l'avait recouvert d'une étoffe. Les policiers avaient effectué leur travail, puis regagné le commissariat. Le corps attendait d'être évacué par le véhicule de la morgue. Cassée par l'émotion de deux morts consécutives en deux jours, Abia pleurait à chaudes larmes. On tenta de la reconduire chez elle. C'est alors qu'arriva Counda qui se mit à défier l'autre. Pour tous les témoins il était clair qu'il allait se passer un second événement après celui du meurtre.

— C'est toi qui l'as tué, voleuse de mari ! Espèce de putain ! Si tu es une femme fière de l'être, viens donc te battre, Dieu nous départagera !

Comme Abia ne relevait pas le défi, Counda redoubla de provocation.

— Ce sang, c'est toi qui devrait y nager à la place de mon mari. Tu m'as enlevé mon mari et tu l'as tué ! Mauvaise race, je vais le venger ici-même ! Femme de mauvaise vie.

Abia ne répondant toujours pas, Counda en conclut que celle-ci n'avait pas tiré d'avantage matériel significatif de Traoré. Sinon, pensa-t-elle, la jeune femme n'aurait pas manqué d'en faire publiquement état pour en faire un sujet de fierté. Ce point éclairci dans son esprit, l'épouse vindicative laissa libre cours à sa tendance belliqueuse.

« Prostituée, chienne, porte-malheur ! » Ces imprécations accompagnaient une charge en règle, tête baissée sur Abia. Celle-ci fut vite ceinturée et violemment projetée à terre par un très sec coup de hanche.

Abia était vêtue en tout et pour tout d'un peignoir de bain qu'elle avait enfilé précipitamment pour aller s'enquérir de ce que voulait Gordo. Et c'est dans cette tenue qu'elle était descendue sur l'esplanade de l'immeuble. Maintenant, à terre avec Counda sur le ventre occupée à la marteler de coups et d'injures, elle hurlait et gigotait. Les badauds faisaient déjà cercle. Le spectacle de deux femmes se battant, le peignoir largement ouvert laissant entièrement à nu toute la féminité d'Abia, avait causé un intérêt certain chez les hommes. Et pour faire durer le plaisir, des voyous jouèrent des bras pour empêcher des pacifistes de les séparer.

Counda continuait à frapper, à griffer et à insulter. Et Abia à crier et à étaler son intimité. « Tiens, prends ! » vociférait la furie à califourchon sur sa rivale. « Et ça encore ! » Prenant la foule à témoin : « Regardez bien, regardez ce qu'elle a entre les jambes. C'est avec ça qu'elle a attiré mon mari et c'est avec ça qu'elle l'a tué. Tiens, attrape ! Elle ne se relèvera jamais de cette honte ! »

Les spectateurs masculins n'avaient pas attendu cette invitation pour assouvir leur penchant de voyeurs. Ils jouissaient même du spectacle en émettant des rires gras et en commentant le duel en termes salés. Quelqu'un estima qu'il manquait quelque chose à la scène. Il souleva le pagne de Counda et le rabattit vivement sur le dos de celle-ci, découvrant ainsi un arrière-train maigre et sans charme. Un énorme éclat de rire secoua la foule des badauds. Quelques rigolards tombèrent même à la renverse. C'est alors qu'Abia profita de ce court moment de flottement pour mordre sauvagement le nez de sa rivale. Elle y mit tant de conviction que la moitié de l'organe lui resta dans la bouche. Ce fut au tour de Counda de hurler à pleine gorge.

La voiture de la morgue arriva sur ces entrefaites. On y chargea le cadavre, on embarqua la mutilée et le véhicule fila vers l'hôpital...

∴

Le commissaire Mbaye avait pris l'habitude de faire la sieste du dimanche après-midi dans le petit jardin de sa villa. Safi, quant à elle, préférait la fraîcheur du salon climatisé. Là, vautrée dans des fauteuils moelleux, elle dévorait des piles de photoromans. Cela arrangeait son mari car ainsi il évitait de subir la nullité de sa femme dans les discussions d'idées. Ce dimanche, il prenait le thé avec son ami Simon Dia, journaliste à la radiodiffusion nationale. Ce dernier prenait son congé annuel, congé dont il profitait pour établir un dossier sur l'acheminement et la répartition des vivres aux sinistrés de la sécheresse du pays. Ce travail d'enquête lui avait été demandé par un organisme non gouvernemental européen spécialisé dans l'aide humanitaire. Il venait donc se détendre chez son ami avant d'entamer son reportage dès le lendemain. Il y avait là aussi un troisième homme, un nommé Solou, voisin de Mbaye et employé de bureau. C'est Mbaye qui préparait le thé vert sur un petit réchaud à gaz.

Solou protesta dès le service de la première tournée :

— Eh, dis donc, Mbaye ! Il est trop fort ton thé ! Mets-y plus de menthe et moins de thé. C'est du poison que tu nous sers là.

Mbaye risposta aussitôt :

— Mon vieux Solou, le premier service n'est pas fait pour les femmelettes. Si tu ne peux pas le boire, laisse-le donc. Je renforcerai le deuxième avec.

— Tu ne m'impressionnes pas avec tes considérations sur les femmelettes, répliqua Solou en sirotant son verre, confortablement accoudé sur la natte. Ce n'est pas en prenant des accents de virilité que tu vas cacher ta méconnaissance profonde du thé. Apprends, mon cher, ajouta-t-il, sentencieux, que les Maures, qui sont de l'avis de tous les plus grands spécialistes du thé au Sahel, dosent le chaud breuvage de façon à ce que ce ne soit pas un poison pour l'organisme. Prends exemple sur eux et tu éviteras à toi et à d'autres des désagréments sur le plan physique.

— Nous le savons tous, que les Maures boivent un thé léger. C'est parce qu'ils en boivent tout au long de la journée. Alors que moi, je n'en prends qu'une fois par semaine. A cette occasion, pour étancher ma soif de thé, j'ai besoin qu'il soit un peu corsé. Le thé devient dangereux quand on veut en boire tous les jours comme les Maures sans avoir la sagesse des Maures.

La discussion déboucha sur un autre sujet que les trois jeunes gens traitèrent en y mettant chacun son piment. Diverses questions furent ainsi l'objet de débat. Ces moments du dimanche après-midi leur faisaient oublier peines et soucis.

Au deuxième service, Mbaye apporta un verre de thé à la menthe à sa femme. Il déposa le petit verre sur le guéridon surchargé de revues.

— Ta conduite est inqualifiable, dit-il, sévère. A défaut de venir avec nous, tu pourrais au moins te donner la peine de dire bonjour.

— C'est à tes amis de venir me dire bonjour. Je suis ici chez moi. (Safi n'avait même pas levé la tête de son journal.) De toutes façons, je ne peux pas les sentir ici.

— Même Simon ?

— Simon, c'est différent. Mais il s'agit de principe. Tes amis n'ont pas le droit de venir occuper les quelques heures libres que te laisse ton travail et qui sont réservées à notre intimité conjugale.

— Ecoute-moi bien, enragea Mbaye. Je te l'ai déjà dit mille fois. Notre vie ne peut se réduire uniquement à un duo au salon ou dans la chambre à coucher. Je t'ai fait comprendre que tu pouvais, que tu devais aller plus souvent voir parents et amies et surtout participer à des manifestations sociales et culturelles. Bref, avoir une vie plus riche, des activités qui t'ouvrent des horizons et contribuent à ton épanouissement personnel. Tu fais exactement le contraire. Tu veux absolument calquer ta vie sur les âneries que tu vois dans les photoromans.

— Que veux-tu donc que je lise d'autre ? Les livres de ta bibliothèque de criminologie ?

La sonnerie du téléphone la fit soudainement se redresser sur son siège. Elle arriva la première au téléphone posé non loin d'elle. Mbaye, qui avait esquissé le même mouvement, dut laisser sa femme répondre.

— Non, ce n'est pas ici, vous vous trompez de numéro.

Mbaye était convaincu que l'appel lui était destiné. Il s'assit près du combiné et enchaîna :

— Pour tes lectures, je ne te demande rien d'extraordinaire. Je veux seulement que tu te débarrasses de cette littérature débile qui empoisonne ton esprit et notre vie conjugale.

A la sonnerie Mbaye n'eut qu'à tendre le bras.

— Allo ! C'est bien ici. C'est toi Djiby ?

Dépité d'avoir raté ce coup, Safi coupa la communication en appuyant sur l'interrupteur. Son mari enragea à grand bruits de soufflets, trépigna un moment sur place puis finalement flanqua à son épouse une gifle qui la renvoya à son fauteuil. Et continuant sur sa lancée, grognant fort, il déchiqueta la pile de romans-photos.

Irritée, Safi se chaussa et lança :

— Si c'est comme ça, je pars. Tu ne me vois jamais, tu ne me considères pas. Je ne représente rien dans cette maison. Un meuble vaut mieux que moi. Je retourne dans ma famille.

— Vas-y, fais-le donc ! (Il respirait difficilement en raison de sa colère.) Ecoute-moi ! Tu n'as rien compris à mon travail. Je crois que nous nous sommes mariés sur un malentendu et qu'il est temps de tirer les conclusions. Nous n'avons pas d'enfants, donc les choses seront plus simples. Je ne suis ni prince ni charmant. Va donc en chercher puisque c'est ton rêve de tous les jours.

« Quand même, dit-il une fois seul, c'est quand j'ai les questions les plus sérieuses à régler qu'elle m'amène le plus d'embêtements. »

Il décrocha et forma le numéro du commissariat.

— Allo, Djiby ! Tu m'apportes quelque chose de nouveau ?

— Oui, chef !

Le commissaire se dérida : « L'enquête va pouvoir

avancer », mais la seconde d'après il s'exclamait en rafale.

— Quoi ? Badou Traoré ? Où ? Mais, nom de Dieu, quand cela s'est-il passé ?

— Il y a environ une demi-heure. J'ai essayé de vous joindre mais votre téléphone sonnait toujours occupé.

« Un coup de Safi pendant que je prenais le thé, pesta-t-il entre ses dents. O.K., Djiby, j'arrive ! »

8

Quand il arriva au commissariat, flanqué de Simon Dia très intéressé, Mbaye trouva sur son bureau un bref rapport signé Sarré, qui faisait état de l'assassinat, peu avant midi, de Badou Traoré, président-directeur général de la société « 4 T — Traoré Taxis et Tous Transports ». L'arme du crime était une flèche barbelée renforcée de deux pointes de harpon.

— Exactement la même que celle qui a tué Sérigne Ladji, commenta l'officier de police. Nous avons donc certainement affaire au même tueur. Mais de toutes façons, cela ne nous dit pas qui est l'archer. Et il sera difficile de lui mettre la main dessus tant que l'on n'aura pas établi l'origine des flèches. Et il faut l'établir. Où est Sarré ?

— M-M-Mélanie, cf-ch-chef ! bégaya Bâ.

— Bon, ça, fit Mbaye. Il comprend vite, Sarré. De bons réflexes et l'esprit d'initiative. Et Ndiago ? Ah ! où ai-je la tête ? Prosper est parti pour son expédition contre la fabrique clandestine de flèches destinées à la bande à Dangala. Marou ! Bâ, va voir si l'inspecteur Diaby est là.

Diaby se présenta quelques minutes plus tard, un gros livre sous le bras.

— J'ai voulu profiter du dimanche pour continuer à chercher à établir l'origine des flèches. Alors j'ai apporté ici ce bouquin que j'ai emprunté à la Bibliothèque nationale.

— Laisse-là ce livre. C'est certainement une bonne idée mais j'ai pour toi une mission qui te fera voir dix fois plus de flèches que dans ce bouquin. (Puis, confidentiel.) Sais-tu où l'on trouve des flèches dans Kionda ?

— A part les musées et les antiquaires, je ne vois pas qui pourrait être intéressé par ce genre d'arme.

— Eh bien, écoute, je vais te le dire. Tu le sais mais tu n'y avais pas pensé ; moi non plus d'ailleurs. Et bien, chez les épiciers tout simplement. Nos épiciers à nous : en fait des camelots installés dans une baraque en bois ou un garage, qui mettent farine et savon au même rayon et qui ont toute leur comptabilité dans la tête. Ils nous intéressent aujourd'hui, ces gens-là. Parce que pour se défendre ils s'y prennent de façon aussi archaïque que pour leur marketing et leur épargne. Ils utilisent sabres, couteaux et arcs. Tu vois maintenant. Alors tu descends de ce côté pour une opération. Prends quelques hommes et faites toutes les épiceries de Bougosso. Ratissez le secteur, confisquez arcs et flèches et ramenez-les ici. Répertoriez-les et classez-les : des fois qu'on y découvrirait les jumelles de nos flèches.

Diaby déposa le livre sur un coin du bureau et bientôt on l'entendit gueuler dans le couloir pour appeler un à un les policiers qui devaient l'accompagner. Mbaye se tourna vers Bâ :

— Dis à Koloba de libérer Mingoro. Son bref séjour en taule l'a blanchi. De sa cellule, il ne pouvait évidemment tuer Traoré. (Réexaminant la flèche.) Nom de Dieu, si je pouvais connaître l'origine de ce projectile ! Espérons que Marou nous rapporte un élément qui nous permette d'y voir plus clair.

Simon qui assistait à tout ce remue-ménage en spectateur, intervint.

— Je ne sais pas si je peux t'être utile, mais...

Le voyant hésiter, Mbaye le poussa à continuer.

— Dis toujours, Simon. Tu n'es pas de la police, mais tu es journaliste. Vos méthodes d'enquêtes se rapprochent souvent des nôtres bien que leurs destinations soient opposées. En effet, vous, vous les publiez alors que nous autres, sommes assez cachotiers. Par ailleurs, comme tout citoyen, tu as devoir d'aider la police. Donc, vas-y !

— Je ne sais pas ce que toute cette affaire couvre, commença le journaliste. Je n'en ai aucune idée précise en ce moment. Il se peut qu'il s'agisse d'un fait divers assez commun ou alors d'une vaste opération impliquant de nombreuses personnes. Mais par amitié pour toi, je voudrais faire quelque chose. Voilà ce que je te propose : tu viens avec moi voir un vieillard analphabète et aveugle. Néanmoins c'est peut-être la seule personne capable de te renseigner utilement sur cette flèche.

— Où est-ce qu'il habite, ton vieux ?

— Dans le quartier de la Colline.

— Alors partons. Il ne faut rien négliger dans cette affaire.

Il prit les clés de sa voiture. Dans la cour du commissariat, ils furent abordés par un policier en uniforme qui amenait par le bras un jeune homme d'une vingtaine d'années, corpulent, noir de peau et fortement lippu. Une impression de naïveté soulignée par un sourire béat émanait de son visage.

— Chef, dit le policier, ce jeune homme a essayé de nous faire comprendre qu'il a vu le meurtrier d'un appartement du dix-huitième étage où il travaille comme boy-cuisinier.

— Un témoin direct ? s'exclama Mbaye. Conduis-le à mon bureau, je vais l'interroger.

— C'est qu'il est muet, chef. C'est ça le problème. Il est muet et sourd de surcroît.

— Ce n'est pas un obstacle insurmontable. A cet âge un sourd-muet comprend bien les signes des mains et certains lisent même les paroles directement sur les lèvres de leurs interlocuteurs.

— Vrai, chef, mais on m'a expliqué qu'il ne comprenait que la langue peule.

— Dans ce cas, confie-le à l'inspecteur Diallo. Il est Peul, lui.

— Impossible, chef. Dans la famille de Diallo, on ne parle plus peul depuis deux générations, depuis que le grand-père a émigré dans la capitale.

— Mais il y a bien quelqu'un qui parle peul dans ce commissariat ! (Il commençait à s'énerver.)

— Oui, chef ! Le brigadier Laye Bâ.

— Bâ le bègue ? fit-il en grimaçant. Bien, amène-le. Qu'il l'interroge avec soin et recueille le plus de renseignements possibles sur l'assassin. Qu'il ne néglige aucun détail. Tu lui diras de me faire un rapport. J'arrive dans une heure et je le verrai aussitôt à mon retour.

Les rues du quartier de la Colline étaient difficilement accessibles. Mal tracées, pleines de nids de poules et sans trottoir, elles étaient le territoire des piétons, des charretiers, des marchands ambulants, d'enfants jouant et d'animaux en divagation. Peu de véhicules s'y hasardaient tant la circulation y était périlleuse. Et malheur à l'automobiliste des quartiers riches qui y renversait un enfant ou écrasait un animal domestique... Il était aussitôt pris à partie et roué de coups par une population unanime dans son amertume et sa rancœur contre les nantis « venus les narguer » sur les lieux mêmes de leur misère. Simon mit fin à la progression malaisée de la voiture.

— Tu tournes dans cette ruelle à droite et tu te gares. Nous ferons le reste du trajet à pied, il y a juste une pente à monter.

Pendant que Mbaye verrouillait les portières, son ami lui fit une remarque sur son air sombre et nerveux.

— Depuis la sortie du commissariat, tu es devenu moins loquace et plus nerveux. Le thé peut-être ? Solou aurait-il raison ?

— Non, ce n'est pas le thé. Ce n'est pas non plus cette foutue affaire que j'ai sur les bras. (Il prit un temps de réflexion.) Je crois que je vais me séparer de Safi.

— Ah-ah ?

— Je me demande si elle et moi nous sommes faits l'un pour l'autre. Elle ne me comprend pas, mais alors pas du tout. Et elle ne fait aucun effort dans ce sens. Je lui en veux de ne pas essayer d'avoir sa personnalité propre. Elle ne cherche qu'à copier les compor-

tements de filles qu'elle voit dans ses lectures abétissantes. Pour ma part, j'estime que cette situation ne
peut continuer.

Ils marchaient dans la ruelle montante, évitant à
chaque pas un étalage de camelot, un animal ou des
enfants jouant à se poursuivre.

— Eh, dis donc ! Ne va pas si vite, répliqua Simon. Quand tu l'a épousée, tu semblais pourtant amoureux fou d'elle.

— Oui, c'était vrai au début. Mais vois-la maintenant. Est-ce que tu penses sincèrement que je puisse
maintenir les mêmes sentiments pour elle ? Elle n'a
aucune activité. Elle ne travaille ni dehors, ni à la maison. Tu te rends compte ? Elle a juste vingt-deux ans
et madame emploie deux bonnes : une pour le ménage,
une pour la cuisine. Pour être sûre d'être totalement
dégagée de toute tâche. Ainsi elle peut lire des photoromans à longueur de journées et rêvasser. Pourtant
elle ne manque pas de capacités. Je lui ai trouvé des
tas d'emplois et de stages de formation qu'elle a refusés. Et puis, tu as vu son attitude envers mon travail ?

— Dans tout ça, mon vieux, tu t'accuses toi-même.
Je crois t'avoir déjà dit une fois que c'était toi qui
avais flatté son penchant pour ce genre de lectures.
Et ce depuis ses seize ans, âge qu'elle avait quand tu
l'as connue. Tu es allé loin. Tu lui as acheté tous les
romans-photos qu'elle voulait et aussi tous les disques,
tous les habits. Tu voulais justement lui donner l'impression qu'elle vivait une histoire de photo-roman.
Toutes tes économies y étaient passées à l'époque. Mais
il y a plus grave. Tu lui as dit qu'une fois mariée, elle
aurait sa bonne et n'aurait pas besoin de travailler car
tu te disais capable, avec ta solde, de subvenir à tous
vos besoins... Rappelle-toi de ce mot : « capable ».
C'est par ton orgueil et tes fanfaronnades que tu l'as
déformée. Finalement, pour Safi le mariage se percevait comme une fin en soi, un but dans la vie. Comme
justement dans les photo-romans qui, en règle générale, finissent par fiançailles ou noces. Pour elle, comme
pour beaucoup de jeunes filles tout aussi déformées de
nos villes, le mariage c'est d'abord les cérémonies et

le folklore qui les soutend : voile blanc à l'occidentale, réceptions, étalages de biens. Et puis une fois la fête terminée, on s'installe dans un « état de mariée » où tout viendrait sans effort. Tu sais bien tout cela.

— Non, Simon, ne m'accuse pas ainsi, moi tout seul. Reconnais que ceux de notre génération, comme ceux de celle d'avant, avons fait la cour à nos amies et fiancées en flattant leur côté faible : l'envie de beaux habits, de bijoux, de sorties et bien sûr d'argent. Nous les incitions ainsi à la paresse intellectuelle car il n'était pas question pour nous de les pousser à l'ambition de crainte de les voir s'émanciper et ainsi nous échapper.

— Non, mon vieux, non, non et non. Il ne faut pas généraliser. Je ne me sens pas concerné par ce courant-là et je peux te dire que je ne suis pas le seul. En fait tu étais du groupe des faibles, orgueilleux mais manquant de confiance en soi. Vous pensiez conquérir le cœur d'un fille non pas par l'amour que vous avez pour elle, ni par vos qualités personnelles, mais par des cadeaux inconsidérés et par des promesses mirobolantes. Alors, une fois mariée, la fille se complaît dans l'oisiveté. C'est ça ton erreur : avoir étouffé toute ambition en Safi. Et maintenant, tu veux l'enfoncer. Là, ça ne va plus. Je peux te dire que, de toutes les filles que nous avons fréquentées, Safi était certainement la plus intelligente. Mais son amour pour toi l'a rendue malléable et tu as réussi à en faire cet objet de salon sans cervelle. Parle-lui et essaie de la changer. Tu t'en féliciteras.

Simon s'arrêta, tourna la tête à droite puis à gauche :

— Je crois que nous avons dépassé la maison. La porte est en bois brun. (Scrutant plus attentivement.) C'est là-bas, la deuxième en redescendant.

Ils poussèrent la petite porte en planches qui tenait à peine sur son dernier gond et débouchèrent sur une courette. La maison, une bâtisse couverte de tôles ondulées, semblait déserte. A cette heure du milieu de l'après-midi et bien qu'on fût dimanche, tout le monde était dehors pour travailler, vendre, en tout cas pour chercher à rapporter quelque chose à la maison. Mais on percevait clairement un bruit de vaisselle qu'on lave venant de la cuisine. Un fumet caractéristique parvint aux narines des deux amis. Il se préparait un plat très prisé dans le pays : le mafè.

— Salamaleikoum !

— Simon, qui était chrétien, trébuchait parfois sur ce salut musulman, véritable mot de passe entre ethnies islamisées. Ce salut créait un cadre favorable à la sympathie et à l'hospitalité.

— Aleikoumasalam, lui fut-il répondu de la cuisine.

Une tête de femme, coiffée d'un mouchoir multicolore, apparut par la fenêtre du réduit de briques crues qui servait de cuisine. Le visage luisait de sueur et les yeux étaient rougis par les vapeurs et la fumée.

— C'est toi, Simon ? Grand-père est de l'autre côté, dans la grande cour.

—Eh dis, Sabouna, ça sent bougrement bon ton mafè. Qu'est-ce que tu y a mis dedans ?

— C'est du bassi sauce capitaine fumé aux arachides. (Sifflements conjugués de gourmandise de Simon et de son ami.) Si tu es là jusqu'au soir, tu auras tout le loisir de t'en régaler.

— Je voudrais bien, mais on est pressé aujourd'hui et tu m'en vois désolé. Ce sera pour la prochaine fois. Bon, on te quitte, nous allons voir le vieux.

Ils longèrent un petit enclos où quatre moutons faméliques bêlaient pour demander à manger. Les bêlements redoublèrent avec l'arrivée des visiteurs et réveillèrent un vieil homme assoupi dans sa chaise longue à l'ombre d'un manguier, arbre des cours de maisons. Il se releva et s'assit droit sur son siège. Le regard vitreux scrutait le vide devant lui. Les oreilles étaient attentives au moindre bruit, les narines percevaient diverses effluves, les pieds posés à plat recueillaient les vibrations du sol. Toutes sensations qu'un esprit encore alerte décodait, triait et analysait.

Le vieux Sambou possédait un corps massif et encore musclé qui avait été à l'évidence physiquement très actif toute sa vie. Sa denture au complet, ses cheveux drus malgré leur blancheur attestaient de cette santé. La cécité l'avait frappé il y avait près de vingt ans à la suite d'une cataracte.

Simon ne fut pas étonné de s'entendre appeler avant même d'avoir dit bonjour.

— Eh bien, bonhomme, qui amènes-tu aujourd'hui ? Je sais que ce n'est pas Malika.

— C'est mon ami Mbaye Mbaye, le fils de l'instituteur.

A ce moment l'officier salua.

— C'est bien la voix de son défunt père. Qu'est-ce que tu fais, fiston ? Tu es devenu toi aussi maître d'école ?

— Non, je suis dans la police.

— Il est commissaire, ajouta Simon.

— Commissaire ? Avec l'uniforme ? Avec les galons ? Ça a de l'allure un uniforme, ça impressionne, fit Sambou mi-admiratif et plaisantant à demi.

— Exactement, répliqua Simon. Mais aujourd'hui, il est en civil.

— Petit, reprit le vieux Sambou redevenu subitement grave, tu vas trouver sans doute que je radote. Tu exerces là un métier dangereux. Il pourrait être noble, vois donc : protéger la population, faire régner un ordre sur lequel le plus grand nombre est d'accord. Malheureusement, c'est le contraire qui se produit le plus souvent. La tentation peut être grande chez vous les policiers de participer aux spoliations et aux brimades du peuple pour satisfaire les ambitions de puissance et de richesse de ses pires ennemis. L'ordre que l'on fait régner dans nos pays ne vient nullement d'un consensus mais de la volonté de quelques autocrates. Et tous les discours de nos dirigeants sur leur amour pour le peuple ne trompent pas. Ce n'est pas parce qu'il ne dit rien que le peuple est dupe. Le proverbe dit que l'hyène sait reconnaître un village habité d'un village en ruines. En effet, la masse populaire peut paraître stupide mais elle sait bien ce qui lui est bénéfique et ce qui ne l'est pas, ceux qui l'aiment véritablement et ceux qui la méprisent.

Simon, qui connaissait la franchise de Sambou, mit fin à la tirade du vieux pour désamorcer au départ un débat qui risquait d'être rapidement explosif et de compromettre leur mission.

— Aucune inquiétude de ce côté, grand-père. Mbaye est un modèle d'intégrité. Il n'entre pas dans le genre de forfaits que tu dénonces à juste titre. N'est-ce pas Mbaye ? (Il enchaîna aussitôt.) Nous sommes venus te voir, grand-père, pour une affaire très importante que Mbaye est chargé d'éclaircir. J'ai pensé que tu pouvais aider à la démêler. La flèche, Mbaye ! (Il prit l'arme et la transmit au vieillard.) Voilà : deux commerçants ont été tués de la même manière et à deux jours d'intervalle. Le meutrier a employé des flèches inconnues des spécialistes. Connais-tu ce genre de flèche ?

Sambou porta d'abord la flèche au nez, la renifla précautionneusement, le visage un peu crispé par la méfiance et sous le regard intéressé des deux jeunes gens.

— Elle n'est pas empoisonnée, fit-il en se déridant. Il n'y a que l'odeur du sang coagulé sur le cuivre. En effet, la pointe est en cuivre. Puis, palpant le bout de la flèche, il émit des oui-oui de conviction tout en hochant la tête.

— Cette flèche vient du pays bassari, dit-il. Elle est d'un type particulier pour cette région mais elle vient de là. C'est une flèche bassari, mes enfants.

Pour Simon l'exactitude de cette conclusion ne faisait aucun doute. En tant que colporteur dioula, le vieux Sambou avait voyagé à travers tout le Sahel, toute la savane et une partie des régions forestières. C'était une véritable échope ambulante avec ses deux ânes chargés de sel, de tissu, de sucre, d'outils, d'armes et de verroteries. Toute sa vie il avait été colporteur. Et son père l'avait été et son grand-père avant son père depuis des générations, longtemps avant l'arrivée des Européens.

Mbaye, lui, n'était pas convaincu. Scepticisme professionnel. Il lui fallait une contre-expertise pour y croire. Il déposa Simon chez Malika et se rendit chez un historien qu'il connaissait bien et qui avait étudié diverses ethnies du pays. Le jeune chercheur fut formel : pour lui, il ne s'agissait nullement d'une flèche bassari. Il affirma que les Bassari n'en fabriquaient pas de pareilles et présenta des modèles de flèches bassari, à dents de harpon. Il déclara qu'à son avis celle qu'apportait Mbaye s'apparentait plutôt aux types d'armement d'ethnies plus à l'Ouest en raison de leurs barbelures.

Mbaye abandonna donc la piste bassari.

.•.

A son arrivée au commissariat, Mbaye fut accueilli par l'inspecteur Sarré qui lui remit la liste de Mélanie et l'informa brièvement de l'interrogatoire d'Abia et de Counda. Les noms que Mélanie donnaient ne furent pas retenus. L'un de ceux qui en voulaient à Traoré était Sérigne Ladji. Le deuxième de la liste s'était spec-taculairement réconcilié avec Traoré et s'était associé à lui dans diverses affaires. Depuis il n'y avait plus de griefs entre eux. Mélanie ignorait ces informations toutes récentes. Le troisième suspect de l'ordinateur était Madame Traoré elle-même. Mais Mélanie déclara que la Counda désirait un crime parfait non un meurtre aussi sanglant et aussi peu discret. Et, élément déterminant, Counda n'en voulait pas à Ladji. Elle le féliciterait plutôt pour avoir détourné Abia de son mari. Or Ladji est mort exactement de la même manière que Traoré. De toute façon le nom de Counda ne figurait pas sur la liste de Ladji.

Quant à l'interrogatoire des deux femmes, il n'avait pas donné grand-chose. Abia avait eu deux dents cassées, et avait reçu de nombreux coups de griffes et de dents sur tout le corps. On lui avait administré un calmant et elle en avait pour des heures à dormir. Counda, elle, avait perdu son nez dans l'histoire mais pouvait parler avec néanmoins un fort accent nasillard... Quand elle consentit à parler ce fut pour traiter les policiers d'imbéciles. Comment pouvaient-ils rechercher un assassin alors qu'ils avaient cette putain

71

voleuse de mari sous la main. Elle se promit à sa sortie de régler de façon définitive le sort d'Abia. Information qu'on fit aussitôt avaler à l'ordinateur. Puis madame veuve Traoré refusa catégoriquement de répondre à des questions sous prétexte qu'elle ne pouvait parler normalement.

Bâ venait de mener le premier et peut-être le plus dur interrogatoire de sa carrière. Le jeune sourd-muet, prénommé Gordo, ne fut pas facile. Le cuistot répondait par des bêlements, seuls sons qu'il était capable d'émettre de sa gorge paralysée. Pour dire oui, il bêlait ; pour dire non, il bêlait aussi. Avec de légères nuances. Mais il ponctuait ses affirmations de hochements de tête, alors que les dénégations étaient marquées de vigoureux coups de tête adéquats. De plus, à chaque réponse qui donnait satisfaction à Bâ, Gordo riait d'un bêlement plus prolongé. Par contre, quand Bâ ne comprenait pas ce qu'il voulait exprimer, il s'en voulait et c'était alors des « hi-hi » d'enfant pleurnichard, l'avant-bras sur les yeux.

Ces bêlements agacèrent Bâ au fur et à mesure que l'interrogatoire avançait et lui-même en bégayait de plus en plus.

Le commissaire Mbaye entra dans le local et y trouva son subordonné nageant de sueur, gesticulant et bégayant pour se faire comprendre.

— Alors ? demanda-t-il, plein d'espoir.

L'oreille encore tout emplie des onomatopées de l'interrogatoire, Bâ répondit par un bêlement machinal. Avec le bégaiement en prime.

— Bon, fit Mbaye, fais-moi ton rapport par écrit. Je le veux dans un quart d'heure à mon bureau.

Le rapport de Bâ était assez concis. Gordo déclarait avoir vu le meurtrier avec un arc après qu'il eut tiré. Il avait d'abord vu Traoré s'effondrer puis avait remarqué l'archer dans le kiosque en train d'emballer son arme. L'homme avait l'âge de Bâ, c'est-à-dire entre vingt-deux et vingt-quatre ans. Selon le sourd-muet, il était trapu et portait une courte tunique de cotonnade ocre fait main avec des dessins représentant des lézards, des hommes stylisés bras levés et d'autres figures. « Il pourrait bien s'agir d'idéogrammes mandingues », pensa Mbaye.

— A-t-il vu quelqu'un d'autre dans les parages au moment du meurtre ou après ?

— N-nn-non, il n'a vu ppppper...

— Bon, il n'a vu personne. Il dit que le meurtrier était trapu. Comment tu lui as posé la question sur la taille ?

— Cccccomme ça ! fit Bâ en levant la main parallèlement au plancher à une grande hauteur puis à une petite.

— Donc il a choisi la petite taille. Et pour la corpulence ?

Le policier écarta les mains de façon à indiquer une épaisseur de corps.

— Parfait ! Petit et costaud, ça peut faire trapu. Bien, voyons comment il a vu Traoré.

— La mmmême choose, chef !

— Trapu ?

— Oui, chchef !

— Dans ce cas, je supprime le signalement sur la taille. Traoré était assez grand. C'est la hauteur de l'appartement du dix-huitième étage qui lui a donné l'impression de voir des gens de petite taille. Comme il n'a pas l'habitude de voir de si haut, il ne peut avoir une idée correcte de la perspective dans des cas de ce genre. Conclusion : il ne nous reste qu'un indice positif : le vêtement du meurtrier. Félicitations, Bâ !

— Merci, chchef !

— Tu vas maintenant aller au marché avec Gordo et acheter la même tunique que le témoin a vu sur le meurtrier.

A 17 h 30, l'inspecteur Diaby appela pour informer de la marche de son opération chez les épiciers. Avec ses hommes, il avait visité onze baraques qui servaient d'épiceries. Les commerçants avaient été pour la plupart plus que réticents à dévoiler la cachette de leurs armes, à plus forte raison de les remettre de bon gré. Ils pensaient à une nouvelle forme de rançonnement des policiers. Il y avait donc eu de la casse : quelques passages à tabac pour refus caractérisé ou insultes à agents. Mais le résultat ne fut pas fameux. Parmi les dizaines de flèches confisquées, pas une n'approchait de celle de l'archer meurtrier. Leurs pointes étaient d'ailleurs soit d'un fer grossier, soit en bois dur. Il restait à voir encore une bonne douzaine d'épiceries. Mais la rumeur avait peu à peu répandu la nouvelle d'une descente de police et tous les boutiquiers avertis avaient fermé leurs baraques et avaient disparu.

L'inspecteur Ndiago revenait, lui, de son expédition à la fabrique clandestine de flèches du village de Congoni. Il en fit un rapport détaillé.

Prosper Ndiago avait appris par un indicateur du « marché aux voleurs » que la bande de Sangala avait décidé de s'étoffer et d'équiper les nouvelles recrues de coupe-coupe, d'arcs et de flèches. Ces armes bon marché, faciles à se procurer, devaient être efficaces aux mains des jeunes gens chassés de la campagne par l'exode.

Le village de Congoni était situé à 150 km de la capitale. Ndiago et les quatre policiers de son équipe y arrivèrent au milieu de la matinée dans un véhicule tous terrains. Ils tombèrent sur la forge en jouant sur l'effet de surprise. L'atelier était divisé en deux parties : une partie visible qui fabriquait et réparait les outils aratoires et autres instruments métalliques et une partie plus en avant, cachée par une murette. C'était là que se fabriquaient flèches, couteaux, hachettes. Le maître de la forge, un sexagénaire aux muscles secs et aux cheveux grisonnants, était aidé par deux jeunes ouvriers. Deux membres de la bande de Dangala supervisaient les travaux. Quand, au milieu des cliquetis des marteaux et des enclumes, il entendit la voiture des policiers freiner dans un hurlement de pneus, le forgeron saisit vivement le vieux fusil à pierre qu'il avait lui-même fabriqué. Dans sa nervosité, le coup partit avant qu'il n'ait pu viser. Une volée de petits plombs arracha une portion du toit de paille de l'atelier. Le forgeron jura fort. Les truands étaient frappés de stupeur de voir surgir des policiers en un endroit qu'ils croyaient sûr. Néanmoins, l'un d'eux, qui inspectait une flèche qu'on venait de terminer, se ressaisit et voulut se servir de cette mini-sagaie... Il visa le premier policier. Une giclée de balles sorties d'une mitraillette lui fit pousser un hoquet et il s'affaissa à moitié dans le foyer. L'inspecteur Ndiago et un de ses hommes se jetèrent sur le forgeron et l'autre bandit. Ils leur passèrent rapidement les menottes. Un des ouvriers parvint à s'enfuir. La chute du corps du premier bandit avait soulevé un nuage de cendres dont il profita. Mais les autres étaient ceinturés sèchement et menottés avec soin.

Le rapport concluait que les flèches de la forge de Congoni étaient des flèches barbelées mais qu'elles ne possédaient pas de dents de harpons asymétriques. Ce qui semblait exclure que Congoni soit l'origine des flèches de l'archer. Ndiago décida toutefois de garder le forgeron et le malfrat pour un interrogatoire plus poussé sur les activités de la bande de Dangala.

Quand il fut en possession de ces éléments d'enquête, Mbaye analysa la situation et vit qu'il n'avait pas avancé. Il se prit à espérer que la tunique aux idéogrammes mandingues serait décisive.

Le premier coup de téléphone rageur arriva peu après 18 heures.

— Commissaire Mbaye! (La voix était sans douceur et dénotait la peur.) Qu'attendez-vous pour arrêter ce salaud ?

— Qui est à l'appareil ?

— Combien faut-il qu'il en tue encore pour que vous vous décidiez à l'arrêter ? (Raccrochement nerveux.)

Un autre appel vint aussitôt après.

— Commissaire, aimez-vous le peuple ? Aimez-vous les amis du peuple ? Badou Traoré était un ami du peuple, un authentique défenseur du bien-être du peuple. Son meurtrier est donc un ennemi du peuple, nous sommes d'accord là-dessus ? Donc, arrêtez-le et qu'on lui colle douze balles dans la peau. (Raccrochement.)

Le troisième appel ne fut pas doux non plus.

— Incapable ! Ton métier c'est d'empêcher les criminels de tuer d'honnêtes gens au lieu de les laisser évoluer librement dans la ville.

Les appels suivants furent de la même veine. Ils indiquaient plus que tout la panique qui s'emparait peu à peu de tous ceux qui avaient quelque chose à se reprocher sur l'origine de leurs richesses. Jamais auparavant les marabouts n'avaient reçu autant de visites. Jamais ils n'avaient offert autant de gris-gris de protection, d'eau bénite, prodigué autant de recommandations. On prit des vacances anticipées et l'on s'envola vers des pays étrangers. Certains parmi ceux qui étaient à l'étranger pour traiter des affaires ou qui y étaient en mission officielle, prolongeaient leur séjour, invoquant toutes sortes de motifs. Ceux qui étaient restés au pays se terraient chez eux et faisaient marcher leurs commerces et leurs services par des hommes de confiance.

De formidables pressions furent exercées sur tous les services concernés par l'affaire de l'archer, depuis le commissariat du neuvième secteur jusqu'au ministère de l'Intérieur. De véritables associations s'étaient créées pour promettre des primes à quiconque fournirait des renseignements sur l'archer. Et, sous forme de groupes de pression, elles menaçaient de faire tomber des têtes dans l'Administration si le meurtrier n'était pas arrêté dans les plus brefs délais... Les ultimatums furent adressés aux chefs de la Police nationale. Ceux-ci à leur tour mirent le commissaire Mbaye en demeure d'arrêter l'archer dans les soixante-douze heures, faute de quoi il serait muté en brousse. Ce qui agaça plus le jeune officier qu'il ne l'effraya.

Son exaspération toucha au comble quand la « Voix » lui fit des injonctions. La « Voix » était anonyme et elle n'émanait d'aucun personnage officiel connu et pourtant elle était présente, autoritaire, terrible. Cette voix était connue des hauts fonctionnaires. Elle semblait au courant de tout et parlait de haut comme venant de quelqu'un qui a l'habitude de parler haut. Mbaye en avait entendu parler comme les autres sans avoir pu, tout comme les autres, y mettre ni un visage, ni un nom. Pour tous, c'était un « personnage officieux, occulte et très puissant ». Selon la « Voix », l'archer en voulait aux riches, et elle donna l'ordre formel de l'abattre dès son arrestation. Un éventuel procès pourrait donner lieu à des révélations qui seraient causes de troubles si elles parvenaient aux oreilles du peuple.

Durant les trois jours qui suivirent, l'enquête piétina. L'archer ne se montra nulle part ailleurs dans une tunique ocre ornée d'idéogrammes mandingues. Ce genre de tenue traditionnelle se faisait rare et il aurait été facile de repérer quelqu'un qui en portait.

Pour prévenir un nouveau meurtre, il fut décidé de fournir une protection armée aux grands fonctionnaires et aux hommes d'affaires les plus en vue. La rumeur générale disait que l'archer n'en voulait qu'à ces deux catégories.

9

Comme à son habitude, le Buffle fit une entrée très remarquée dans le stade des Arènes. Des gradins, des dizaines de milliers de poitrines exhalèrent une ovation monstre. Les tam-tams, qui semblaient s'être endormis avant son arrivée, crépitèrent soudain et le Buffle esquissa alors un pas de danse guerrière, imité en cela par son entraîneur et ses seconds. Ce fut le délire. « Sigi ! Sigi-le Buffle ! » criait-on. On déclina son nom et ses surnoms, tous au superlatif. C'était le plus farouche des lutteurs, le plus rusé, le plus téméraire. Son indiscipline notoire, ses facéties ajoutaient encore à son adulation par ses fans.

Il affrontait ce jour Sama-l'Eléphant. Imbattu jusqu'ici. Plus grand, plus puissant, possédant plus de technique et surtout n'improvisant jamais, contrairement à son adversaire, Sama-l'Eléphant devrait gagner. Mais il lui faudrait compter avec la souplesse, l'agressivité, l'intuition et la chance insolente du Buffle.

Dans la tribune d'honneur, un homme s'agitait d'énervement et souhaitait visiblement être ailleurs. Il s'appelait Papa André Koh et était le Directeur du Service d'aide aux Désespérés.

La rencontre de cet après-midi entre les deux meilleurs lutteurs du pays avait été organisée par l'Association des femmes du district de la capitale et elle avait été placée sous l'égide de la Direction nationale du service d'aide aux Désespérés. Car les recettes devaient être versées à la Caisse d'urgence pour les sinistrés de la sécheresse, dépendant du service que dirigeait Koh. Et c'est à ce titre que Koh présidait le meeting sportif.

Le combat vedette fut enfin annoncé après une série de duels rapides entre les cadets. Une grande clameur de joie vibra dans les gradins. L'arbitre convoqua à grand coups de sifflet les deux lutteurs dans le cercle réglementaire. Les deux adversaires terminaient leurs ultimes préparations magiques, destinées à acquérir la victoire en annihilant les maléfices du rival. Ils s'enduisaient d'eaux consacrées contenues dans une multitude de bouteilles de toutes tailles sévèrement gardées par les marabouts respectifs. Ils s'attachèrent aussi d'ultimes amulettes sur des membres déjà surchargés.

Provocateur incorrigible, le Buffle proféra quelques insultes bien senties à l'adresse de l'Eléphant et lui lança un œuf de poule « chargé » qui s'écrasa juste aux pieds du colosse. Sama grogna fort et s'élança. Et n'eût été l'intervention des suivants des deux équipes, le combat débutait là, en dehors du périmètre autorisé et sans le signal de départ de l'arbitre.

Les tam-tams se turent. Les deux lutteurs venaient d'entrer dans le cercle. Puis les tam-tams saluèrent cette entrée par des claquements joyeux auxquels répondaient les cris d'encouragements des supporters.

Seuls dans le rond, face à face, venus pour se battre et pour gagner, Sama-l'Eléphant et Sigi-le Buffle s'observaient, balançant lentement les bras, essayant de deviner les intentions de l'adversaire. Ce combat était important pour eux mais aussi, dans leur esprit, il l'était aussi pour les spectateurs-supporters. Il ne fallait pas les décevoir.

Comme dans tous ses combats, Sigi-le Buffle prit l'initiative. Il fit mine d'attaquer Sama sur le flanc gauche, se rua sur lui et se retira aussitôt sans le toucher. Des hourrah fusèrent dans tout le stade. La réaction de Sama fut fulgurante. Il envoya un solide direct du gauche que l'autre évita prestement dans sa reculade. « Il ne faut pas attaquer de ce côté-là » se dit le Buffle. Tout le monde savait qu'il chercherait aussi longtemps que ce serait nécessaire le point faible de Sama et qu'il y foncerait sans hésiter. Personne, pas même les supporters de l'Eléphant, ne pensait que l'offensive viendrait du géant. On misait sur l'agressivité et la ruse de Sigi. A la douzième minute, les deux lutteurs avaient échangé des coups. Mais la victoire reviendrait à celui qui ferait toucher terre à son adversaire.

« Son flanc gauche, je suis sûr qu'il pense que je ne vais plus oser l'attaquer sur le flanc gauche et pourtant c'est ce que je vais faire » se dit le Buffle. Aussitôt pensé, aussitôt fait. Le Buffle amorça un mouvement net sur le flanc droit de son adversaire, puis avec une agilité incroyable, il se reporta tout d'une masse sur la gauche, ce qui lui permit, premièrement, d'éviter le foudroyant direct du droit dont Sama s'apprêtait à le recevoir, deuxièmement de saisir son adversaire à bras-le-corps sur le flanc gauche, de profiter du déséquilibre de ce dernier, entraîné par son coup manqué et enfin de tirer Sama à lui de manière à le basculer à terre. Tout était allé très vite, mais les spectateurs avaient compris la manœuvre et déjà on donnait Sigi-le Buffle gagnant.

En fait, les Dieux des lutteurs avaient choisi Sama une fois de plus. En effet, Sama n'avait cessé à aucun moment de se garder sur sa gauche depuis le premier test du Buffle. Tout se joua en quelques secondes. L'Eléphant n'essaya pas de maîtriser son déséquilibre. Au contraire, il aida le Buffle dans leur chute commune. Mais comme il avait prévu le coup et qu'il était d'une force supérieure, il récupéra le mouvement tout entier par un solide coup de rein qui renversa la tendance. Sigi-le Buffle toucha rudement le sol et reçut sur lui la masse des cent-dix kilos de l'Eléphant. Cette victoire arrachée à la dernière seconde provoqua de grands cris de surprise suivis de vivats assourdissants. Le combat avait été loyal. Les gens en avaient eu pour leur argent, leur temps et la passion qu'ils vouaient à la lutte. L'Eléphant leva les bras et se mit à trépigner sur place au son des tam-tams qui jouaient maintenant sur un rythme endiablé. Le vainqueur fut porté en triomphe sur des dizaines d'épaules. On lui fit faire le tour du stade et on l'amena devant la table des officiels pour recevoir la coupe du champion de l'année.

Papa André Koh, Directeur du Service d'aide aux Désespérés et Président du comité d'organisation du match de l'année, fut invité à remettre la coupe au champion. Il retroussa alors se lèvres sur un sourire d'auto-satisfaction : il se sentait important.

Dans l'escalier qui menait à la table où trônait la coupe, il rencontra un joueur de tambourin à la barbiche grise qui déversa sur lui à plein gosier un flot de louanges : « Koh ! tu es le digne descendant de la royale famille des Koh ! Ton grand-père et ton père ont porté le sabre contre l'envahisseur ! Ils ont fait honneur à leur nom et à leur peuple ! Et toi, authentique et valeureux fils de ton père, tu es aujourd'hui au milieu du peuple qui t'honore. Tu aimes le peuple, tu es l'espoir du peuple ! Le peuple ne peut vivre sans toi ! Koh ! Que Dieu te préserve de tes ennemis qui sont les ennemis du peuple ! » Le sourire de Koh s'accentua. Ses yeux brillaient d'émotion et de contentement. Il fouilla dans son ample tenue yoruba et en tira quelques billets de banque qu'il offrit au griot. Celui-ci, en reconnaissance, redoubla de coups sur son instrument et vociféra de plus belle.

Papa André Koh remit la coupe et un chèque à Sama-l'Eléphant, sacré ainsi champion. Le vainqueur présenta le trophée au stade et une ovation le salua. Le lutteur géant était gonflé de gratitude pour ce peuple qui l'aimait, profondément. Il ne trichait pas avec le peuple et le peuple le lui rendait bien. Il chercha des yeux son adversaire battu et lui tendit la main. Celui-ci accepta de la serrer, le félicita et lui lança un défi pour une prochaine revanche. Défi qui fut relevé à la grande joie bruyante des supporters.

La cérémonie terminée, Koh se dirigea vers la sortie des officiels. Il était pressé de se retrouver chez lui... Toutes les issues du stade étaient gardées par des policiers en armes. Personne ne devait quitter avant ou en même temps que lui. Un garde du corps habillé en civil, le précédait partout. Le visage de Koh reprit son aspect agité et inquiet. Il retrouva un peu de son calme en entrant dans la salle du secrétariat du stade. Là, il se fit remettre avec assurance toute la recette du match qu'il enfouit dans une de ses poches. Puis, toujours flanqué de son garde du corps, il se dirigea vers le parking des officiels. En voyant d'autres hommes en arme non loin de sa voiture, Koh reprit totalement courage. Il était finalement content de sa journée. Le championnat s'était bien passé et il allait en profiter pour se faire mousser et prétendre au poste juteux de Directeur général de l'Equipement. En attendant, la recette du match allait gonfler ses économies car il n'était pas question de la verser à la Caisse d'urgence. Bien entendu, les dirigeants sportifs et quelques fonctionnaires du ministère de tutelle seraient arrosés pour les faire taire. Et ce sera tout. De la routine.

Le garde du corps s'arrêta devant la voiture, raide dans un costume sous lequel on devinait une arme de gros calibre. Il scruta les alentours à la recherche de présence suspecte. Rassuré, il fit signe à Koh d'avancer. Celui-ci fit quelques pas. Une brindille qui traînait là craqua sous son pied. Le garde lui ouvrit la portière, l'œil plus que jamais aux aguets. Koh fit entrer le pied gauche, s'assit sur le moelleux siège arrière et entreprit de ramener le pied droit. Il s'y prit un peu trop précipitamment et en poussant un cri. Le garde dégaîna aussitôt son pistolet et en deux mouvements vifs de la tête, fit le tour des lieux. Les deux policiers en uniforme qui gardaient la voiture, armèrent leurs fusils, l'œil fureteur, prêts à tirer.

Un sifflement et toutes les têtes pivotèrent vivement vers le bas du véhicule. Il y avait là un énorme mamba noir, crochets menaçants dehors et yeux lançant des éclairs. Il se dressa sur ses anneaux et cracha de colère. Les trois hommes en armes restèrent pétrifiés quelques instants, comme hypnotisés. Puis, le garde du corps, réalisant qu'il tenait son arme, vida nerveusement son chargeur sur le reptile. Ensuite, il regarda, éberlué, le serpent plus vivant et plus furieux que jamais. Les balles s'étaient logées dans la roue arrière et la carrosserie. Le mamba chercha alors à s'échapper et battit en retraite vers un abri. Un des policiers en uniforme réagit. Tenant son fusil par le canon, il frappa vers le sol. La crosse effleura le reptile qui se retourna pour faire face à ce nouvel adversaire. Il se redressa, siffla de rage, prêt à contre-attaquer. Le policier frappa de nouveau. La crosse cueillit l'animal à la tête. L'homme profita de son avantage et asséna une volée de coups au reptile qui tressautait et se tortillait sur place, déjà agonisant. Ragaillardi par cet exploit, le second policier accourut, crosse en l'air. Il mit une telle frénésie à donner des coups qu'il brisa l'avant-bras de son camarade.

Affalé sur le siège arrière, Papa André Koh gémissait en appelant à l'aide. Il ne souffrait pas physiquement car la morsure des serpents colubridés, dont fait partie le manba, est indolore bien que mortelle. Le cri poussé était dû à la stupeur. Mais il se sentait de plus en plus engourdi et avait des difficultés à respirer, premiers effets de la morsure. Il se maudit de n'avoir pu éviter le reptile. Il avait bien senti le corps froid et visqueux contre son mollet, le pantalon de la tenue yoruba et les babouches laissant à nu la jambe inférieure. Mais il lui fut impossible de trouver une parade à l'attaque car la détente du mamba est très brutale et fulgurante. En même temps qu'il se jette en avant, il ouvre sa gueule et le crochet est mis à découvert. Le venin est projeté sous pression vers la dent venimeuse par une contraction des muscles temporaux extérieurs. Dès la morsure, qui ne dure qu'une fraction de seconde, le serpent se retire. Koh avait été mordu dans une veine. Dans ce cas, la mort se trouve précipitée. Le venin détruit les globules rouges et blancs du sang. Il contient en outre des toxines qui coagulent le sang. L'embolie généralisée qui s'ensuit débouche sur une issue fatale.

La chance avait décidément abandonné Koh ce jour-là. Après de sérieuses minutes passées à neutraliser le serpent, on dut chercher un autre véhicule car la voiture, criblée de balles, était inutilisable. Et c'est à ce moment que, conformément aux consignes données aux services de sécurité, la foule fut autorisée à sortir. Le flot humain gêna considérablement l'évacuation du blessé. Et quand enfin on put prendre la route, Koh ordonna au chauffeur de le conduire chez son guérisseur, arguant du fait qu'il ne s'agissait pas d'un serpent ordinaire. Et d'après ses dires, ce guérisseur pouvait soigner toutes les morsures de serpent et en même temps chasser les maléfices. Mais là encore Koh joua de malchance. Le thérapeute était absent de chez lui. Il n'était pas encore rentré en raison des difficultés de transports en public à la sortie du stade. Le Directeur général de l'Aide maudit tous les serpents et tous les guérisseurs absents de la terre. Et gémissant, suffocant, crachotant, il demanda qu'on l'amenât à l'hôpital. En franchissant le portail de l'hôpital, Papa André Koh tomba dans un coma dont il ne devait plus sortir...

L'archer se fondit dans la foule des gens qui venaient d'assister au match et qui rentraient chez eux. Il revit la mort de Papa André Koh qu'il avait suivie de l'entrée du couloir qui menait aux vestiaires. Il se félicita de son œuvre. Koh s'était dirigé vers sa voiture. Sous sa babouche en peau de mouton avait craqué une brindille qui traînait. Un petit craquement sec et presque inaudible mais qu'Atumbi avait perçu comme le sinistre craquement d'os humains. Atumbi avait eu alors la vision cauchemardesque d'étendues d'ossements humains blanchis sous le soleil et que Koh foulait, se délectant des bruits secs provoqués par ses piétinements. Le serpent n'avait pas tardé à mettre fin à cette scène insoutenable.

Il avait frémi en voyant les policiers massacrer le reptile mais n'avait pas osé intervenir. Il n'avait plus à intervenir, la bestiole était sacrifiée dès le début de l'opération.

10

— Allo, Billy ? Salut ! Boulboul à l'appareil.
Mbaye avait horreur des familiarités au bureau
surtout quand cela prenait un ton franchement vulgaire. Il détestait particulièrement Massami dit Boulboul, le commissaire du sixième secteur.

— · Ecoute, Massami, je ne suis pas d'humeur à te
supporter aujourd'hui. Et cesse de m'appeler Billy, on
n'est plus au lycée.

— Mais c'est sérieux, je t'assure. J'ai un colis pour
toi. (Et de ricaner comme d'une bonne blague.)

— Une dernière fois : arrête tes conneries !

— Conneries, tu ne pouvais mieux dire. Il s'agit du
corps et du dossier de Papa André Koh, le caïman can-
nibale qui s'est fait envoyer chez les ancêtres par les
bons soins d'un serpent.

— Quoi ! Tu ne voudrais pas me refiler un type
tué dans ton secteur ? Tu ne penses pas que j'en ai
déjà assez sur les bras ?

— Le type en question est mort de façon particulière.

— S'il fallait m'envoyer tous les cas sortant un peu
de l'ordinaire, je n'ai plus qu'à demander de nouveaux
crédits pour agrandir mon commissariat. Les meurtres
sur lesquels j'enquête ont été commis par des flèches.
Et Koh n'a pas été tué par une flèche !

— Exact !

— Alors ?

— Alors je te l'envoie quand même ! Il semble qu'il soit lié aux deux autres.

— Mais enfin, il est mort d'une morsure de serpent ! Ce n'est peut-être qu'un accident, nom de Dieu.

— Tssst ! Ça reste un crime tant qu'il n'a pas été démontré qu'il s'agit d'un accident, tu le sais bien. Ça s'étudie au cours élémentaire de l'Ecole de Police, mon cher.

— Tu sais ce que tu es ? Tu es chiant ! aboya Mbaye, qui une fois ainsi défoulé, ajouta, ironique : donc, tu as pu démontrer qu'il ne s'agissait pas d'un accident et que ça pouvait m'intéresser.

— Tout juste, mon vieux ! Avant de tomber dans le coma, Papa André Koh a dit à plusieurs reprises : « C'est lui. C'est un coup de l'archer. Il sait qu'il ne peut m'atteindre par la flèche, c'est pourquoi il m'a envoyé ce serpent. » Mais il a dit aussi à un moment le nom d'un certain Mamba noir, qui, si je ne me trompe pas, fait les beaux jours de ton secteur. Tout cela est tiré de la déposition du chauffeur-garde du corps, et de celle d'un membre de la famille du guérisseur absent.

Mbaye resta sans voix. La sueur inondait son front.

— Allo ! Tu m'entends, Billy ?

Mbaye réfléchissait et ne répondit pas. Massami continua quand même.

— Je t'ai envoyé l'inspecteur Cossé qui te rapportera tout le dossier de l'affaire et se mettra à ta disposition pour cette partie de l'enquête.

— Merci.

— Bon, à plus tard. Allez, courage !

Le commissaire Massami était soulagé d'avoir fourgué ce cadavre encombrant. Il plaignait sincèrement son collègue Mbaye et se félicita de n'être pas à sa place.

La « Voix » appela quelques minutes plus tard.

— Commissaire Mbaye, je t'avais donné soixante-douze heures pour en finir avec l'archer. Il ne te reste que quelques heures. J'ai déjà sous la main quelqu'un de plus efficace.

— Mais qui acceptera de continuer une enquête aussi embrouillée, aussi lourde de mystères, aussi peu susceptible d'être menée à bout ?

— Cela n'est pas ton affaire. Ton remplaçant recevra un ordre, il obéira, c'est tout. (On raccrocha.)

L'inspecteur Cossé prit un air important en entrant dans le bureau de Mbaye. Il ouvrit une chemise jaune et détailla au commissaire Mbaye les divers documents qu'elle contenait.

— Déposition de Midou Kamissoko, garde du corps. Dépositions de Séga Dassi et de Alkalo Dala, policiers. Je vous conseille particulièrement celle du nommé Dassi. Il y a là, à mon avis, un indice très important.

Mbaye prit possession des documents.

— Allez attendre dans la salle des inspecteurs. Je vous appellerai quand j'aurai besoin de vous.

Cossé, vexé, prit sa casquette qu'il mit sur sa grosse tête et s'éclipsa, le regard sombre.

Déposition de Dassi.

« Nous assurions, le brigadier Alkalo et moi, la protection de la voiture de M. Papa André Koh, Directeur de l'Aide aux Désespérés, quand un serpent venu on ne sait d'où l'a mordu. Nous l'avons aussitôt tué. Je veux dire : tué le serpent. (Suit la description détaillée de l'écrasement du reptile.) » A la question : « Avez-vous remarqué quelque chose d'anormal avant l'attaque du serpent ? » Dassi répond : « Une vendeuse de patates douces est passée dans les parages du parking et nous a proposé sa marchandise. Nous lui avons acheté quelques tubercules cuits à la braise. Le chef nous avait donné de l'argent pour le casse-croûte. Nous avons un peu causé et ri avec la jeune fille pendant qu'elle épluchait les patates. Nous connaissons cette fille. Elle vient du village de ma mère. Un quart d'heure environ après son départ et peu avant la fin du match, un jeune homme, un vendeur de kolas, est venu lui aussi nous proposer ses noix. Moi, je ne croque pas de kola ; c'est un excitant et moi j'ai déjà assez mauvais caractère. Mon compagnon non plus ne croque pas. En outre, il ne nous inspirait pas confiance. Nous avons pensé à un voleur d'accessoires de voitures. Alors nous lui avons dit de circuler et je l'ai bien insulté pour qu'il comprenne vite qu'il était indésirable et qu'il risquait d'avoir des ennuis physiques s'il restait une minute de plus. En repartant, son panier de kola s'est entrouvert et des noix sont tombées sous la voiture de M. Koh. Il s'est baissé pour les ramasser mais je lui dit de déguerpir vite fait, sinon il allait tâter de la crosse de mon Mas-36. Il s'est alors relevé et s'est dirigé vers les vestiaires. »

La déposition donnait une description du jeune homme. Ce qui intéressa vivement Mbaye.

« Le vendeur de kolas avait dans les dix-neuf ans. Il mesurait près de 1,75 m. Le teint se rapprochait de celui de l'amande de karité... Il avait les pommettes hautes et parlait d'une voix basse avec de forts accents de la brousse. Comme habillement, il portait un pantalon kaki et une chemisette bleue... Les noix étaient disposées sur un van d'osier circulaire et ce van était posé sur un panier contenant le stock de kolas. »

Mbaye relut la déposition de Dassi et conclut que le panier contenait en fait le serpent et que le prétendu vendeur s'était baissé à un moment donné non pas pour ramasser des noix, mais pour ouvrir le panier et permettre au reptile de se glisser sous la voiture de la future victime. Victime contre laquelle il avait été dressé sans doute et qui s'appelait en clair Papa André Koh... Ce « vendeur » ne pouvait être passé là par hasard et ce serpent ne pouvait viser que Koh. Merde, et merde, voilà que les serpents s'en mêlent ! Quel autre type d'animal tuera la prochaine victime ? Et l'archer, que devient-il dans tout cela ? Mon vieux Mbaye, depuis que tu es commissaire, tu ne t'es jamais posé autant de questions ardues. Mais il y a au moins un signalement de première main, exploitons-le à fond.

Il appuya sur le bouton de l'interphone.

— Sarré, va voir Mélanie et demande-lui qui a pu faire le coup. Tu diras à Cossé de passer à mon bureau.

Cossé était devenu moins fanfaron. Il avait même prit une attitude humble. « Il a contracté cette désinvolture et cette façon de se croire infaillible et indispensable au contact de cet imbécile de Massami...

Chez moi, personne n'est indispensable, il a dû s'en rendre compte », pensa Mbaye en voyant le nouveau venu dans un maintien impeccable et dans un uniforme reboutonné et défroissé.

— Avez-vous procédé à l'interrogatoire des autres petits marchands ambulants qui se trouvent habituellement au stade lors des rencontres sportives ?

— Oui, commissaire ! répondit Cossé. Cela n'a rien donné. Tous les camelots interrogés ont affirmé qu'ils n'avaient pas vu un vendeur avec un tel signalement. Nous avons retrouvé et interrogé la vendeuse de patates.

— Alors ? fit Mbaye impatient.

— Même chose. A part les deux policiers, elle n'a vu personne d'autre dans le parking des officiels ni aux alentours.

— Bien, prenez le signalement donné dans la déposition. Faites-en un portrait robot. Si vous ne savez pas dessiner, faites-vous aider par Bâ. Allez au fichier-photos et, avec le portrait robot, relevez les noms de tous les individus se rapprochant de ce signalement.

— Bien, commissaire...

Quand la liste des suspects de Mélanie lui parvint, Mbaye fut près de sauter de joie à la lecture du tout premier nom.

— Sarré, va me chercher, toutes affaires cessantes, le nommé Mamba Dabou dit Mamba Noir, propriétaire du bar « Le Venin de serpent ». Il tendit à l'inspecteur une convocation signée dans un griffonnement rapide.

Mamba Noir Dabou était franchement noir de peau, petit et musclé. Il s'appelait vraiment Mamba, du même nom que le terrible serpent venimeux, un des plus mortels qui soient. Pour rendre son apparence plus conforme à son sobriquet, il s'habillait constamment de noir. Pantalons, chemises et chaussures étaient de la même couleur. Il portait au cou un cercle d'or dont le médaillon était un serpent, et à l'oreille droite pendait un petit serpent en or rouge qui s'agitait à tout propos, Mamba Noir étant vif en paroles et en actes. Dabou exploita commercialement cette homonymie quand il se lança dans les affaires. Ainsi son bar fut tout naturellement baptisé « Le Venin de serpent ». Et, comme de juste, on y buvait alcools et cocktails aux noms évocateurs : crachat de naja, bave de boa, larme de vipère, etc. Autant de boissons dans le genre tord-boyaux qu'on venait ingurgiter pour se faire une réputation de dur. Les murs du bar étaient ornés de la mythologie du serpent. Et pour compléter le tableau, les serveuses étaient appelées couleuvres tant elles étaient peu farouches avec les clients.

Dabou était à ses heures un indicateur de police. Mbaye le sut par Mélanie. Un indicateur de Massami du temps qu'il écumait le sixième secteur... Cette collaboration avec la police l'avait très souvent tiré du pétrin. Il se rendit donc à la convocation, sûr d'en revenir lavé de tout soupçon. Mais de voir Mamba Noir, là, en face de lui, un peu étonné d'être en ce lieu en ce moment mais confiant, Mbaye se dit qu'il tenait peut-être son homme. Depuis le début de l'enquête, c'était le suspect sur lequel pesait le plus de présomptions. Et ce n'était pas parce qu'il était indicateur de police qu'il serait ménagé. Mbaye se surprit à se féliciter de ce meurtre insolite par morsure de serpent qui un moment semblait épaissir le mystère mais qui finalement permettait de déboucher sur une issue. Mamba Dabou ne lui échapperait pas. Les paroles de la « Voix » lui revenaient à l'esprit : « Plus que quelques heures... »

— Où étiez-vous hier, mardi, à 18 heures ?

— Commissaire, pouvez-vous me dire pourquoi je suis convoqué ici aujourd'hui ? demanda Dabou, l'air de quelqu'un qui n'avait rien à se reprocher ce jour-là.

— Vous le saurez tout à l'heure. Répondez d'abord à ma question. Où étiez-vous hier à 18 heures ?

— Dans mon bar, fit Mamba d'un ton qui indiquait l'évidence même. J'ai suivi le match de lutte à la télé. Je n'ai pas été au stade parce que j'attendais un fournisseur pour traiter une affaire importante.

— Mamba Dabou, vous savez sans doute que Papa André Koh est mort ?

— Oui, je le sais. Mais en quoi cela me regarde-t-il, demanda-t-il, soudainement alerté et faisant trembloter son petit serpent d'or à l'oreille dans sa nervosité.

— Ce que vous savez moins c'est que vous êtes sur la liste des suspects.

— Moi ?

— Et ce que vous savez encore moins, c'est que vous êtes le suspect N° 1.

— Moi, suspect ? Mais je n'ai rien fait !

— Ça c'est vite dit. Vous n'aimiez pas beaucoup Koh ?

— Ah ça oui ! Mais il y a beaucoup de gens qui le détestaient.

— Possible. Mais à notre connaissance, vous êtes l'un de ceux qui l'ont menacé de mort.

— Parce que lui aussi m'avait menacé de mort ! (Le petit serpent voletait maintenant d'un bout à l'autre de l'oreille.)

— Intéressant. Racontez-moi ça !

Dabou reprit son calme et déclara :

— Koh était mon voisin. Sa villa jouxtait mon bar « Le Venin de serpent ». Il ne voulait pas de ce voisinage, pour des raisons absolument futiles.

— Lesquelles ?

— Il disait qu'il n'aimait pas les serpents et qu'il ne voulait pas de serpent à ses côtés.

— Ça c'est vraiment futile au possible, fit Mbaye, ironique. Je vous préviens, Dabou, marchez droit avec moi. Mettez-vous à table sans vous faire prier. Ne me faites pas courir avec vos histoires à dormir debout. Pourquoi Koh vous a-t-il menacé ?

— Mais, je vous assure, commissaire, c'est la seule raison. On disait, d'après les rumeurs, qu'il avait rêvé une nuit qu'il mourrait mordu par un serpent. Et à cause de cela il ne pouvait plus tolérer ne serait-ce que la plus petite allusion à ce reptile en sa présence. D'ailleurs il a licencié deux de ses employés parce que leurs noms de famille étaient des références au serpent, animal totem de leur ethnie. Sa haine pour moi venait de mon nom qui est un nom de serpent et de l'appellation de mon bar.

— Ecoutez, Dabou, j'ai bien envie de vous confier à Koloba. Lui, il interroge à coups de poing... Alors ?
— Je vous jure, commissaire. (Mamba Noir avait perdu à présent toute confiance en lui-même. Ses yeux roulaient dans les orbites sous le coup de la peur.) Vous ne pouvez pas vous imaginer à quel point cet homme était mesquin. Il a employé tous les moyens pour me déloger de mon bar. Il m'a d'abord proposé d'acheter le bar au prix que je fixerais et il me promettait un local dans un autre endroit. J'ai refusé net. Il a alors envoyé un incendiaire qui a mis le feu au bar. Mais l'incendie a pu être maîtrisé à temps et j'ai été indemnisé par ma compagnie d'assurance. Vous pouvez consulter mon dossier à leurs bureaux. La compagnie avait conclu à l'incendie accidentel mais moi je savais qui avait commis le forfait. Finalement, voyant l'échec de ses manœuvres, Koh m'a clairement menacé de mort et l'homme qu'il avait chargé de ce boulot est venu tout me raconter. C'est pourquoi j'ai décidé de faire la peau à Koh avant qu'il ne fasse la mienne.

— Et ainsi, insinua le commissaire, vous lui avez envoyé un serpent. Car quand on s'appelle Mamba Noir, ça doit être tentant de tuer par serpent interposé.

— Non, pas du tout ! nia vivement Dabou. Je n'utilise que le nom et les représentations du serpent. Je ne connais pas grand-chose aux reptiles. Et puis, c'est trop risqué, la manipulation d'un serpent.

— Comment comptiez-vous supprimer Koh alors ?

— En légitime défense !

— Mais encore ?

— Avec la même arme que lui !

— Autrement dit ?

— Autrement dit, je voulais retourner son tueur contre lui.

— Elle est bien bonne, celle-là ! En fait, Dabou, vous avez tué Koh. Avec un serpent c'était signé clairement et cela devait impressionner vos autres ennemis de la ville. Sans preuve contre vous, on ne pourrait rien vous reprocher. Mais le meurtre était signé trop flagramment car Koh a prononcé un nom avant sa mort ; un seul et c'était le vôtre. Les témoins ont saisi votre nom dans le délire de Koh avant le coma.

— Mais, voyons, commissaire, ça ne tient pas debout. Vous m'accusez du meurtre de Koh, et pourtant on m'a dit qu'il était lié aux deux précédents. Pourquoi ne cherchez-vous pas dans cette direction ?

— Justement tout se tient. Koh a aussi parlé de l'archer avant de mourir, vous associant ainsi dans ce crime. Et Dangala est bien votre frère. Ces derniers temps, il avait commandé des arcs et des flèches. Vous avez travaillé ensemble et vous vous êtes mutuellement rendus des services. Maintenant vous vous êtes carrément associés pour éliminer certaines personnes gênantes pour vos affaires. A moins que vous n'agissiez pour le compte d'un commanditaire haut placé qui a décidé de protéger ou d'agrandir son empire.

— Mais, commissaire, protesta vivement Dabou.

— Donc Dangala tue à la flèche et vous au venin. Ou peut-être vous faites les deux à vous seul. Un témoin nous a parlé d'un archer qui lui a semblé trapu. Mamba Dabou, je vous arrête. Koloba !

Le policier géant se présenta aussitôt.

— Mets-lui les menottes et amène-le dans la cellule qu'occupait Mingoro...

Les yeux de Mamba Noir luisaient. Il avait envie de pleurer de dépit.

— Et maintenant, à nous deux, Dangala, se dit Mbaye en lui-même.

Mais Mbaye ne jubilait pas pour autant. Et si Mamba Noir n'avait effectivement rien à se reprocher dans cette histoire ? Ne l'avait-il pas mis aux arrêts parce qu'il lui fallait à tout prix un coupable, condition pour sauver sa place ? « Le reste de l'enquête établira sa culpabilité ou son innocence surtout si on parvenait à mettre la main sur Dangala », pensa Mbaye pour se donner bonne conscience. Mais pour lui, cette fripouille de Mamba Noir méritait dix fois la prison...

11

La nouvelle de l'arrestation de Mamba Noir se répandit dans Kionda et la tension tomba. Ceux qui se terraient chez eux réapparurent avec à la bouche bravades et défis lancés au prisonnier. Des télégrammes triomphalistes et des coups de téléphone victorieux décidèrent ceux de la diaspora passagère à rentrer, tout sourire, au pays.

Et on organisa des fêtes pour arroser ça.

Solo Dombo, le Directeur de l'Office de stockage des céréales, qu'une grippe soudaine avait alité jusqu'à l'arrestation de Mamba Noir, donna un méchoui monstre.

Dans le grand jardin de sa propriété, vingt-quatre moutons entiers, farcis de couscous arabe, de raisin sec et de beurre, rôtissaient sur d'immenses barbecues en briques. L'atmosphère créée par un orchestre de danse choisi pour son excellent répertoire et les rasades d'alcool entretenaient la gaîté. On s'esclaffait pour des riens et on tournait volontiers l'archer en dérision. Les rires fusaient drus et francs à la moindre plaisanterie le concernant. On se visait les uns les autres avec des arcs imaginaires et on éclatait de rire sans retenue.

Quand ce fut l'heure de manger, les groupes qui s'étaient constitués reçurent chacun un mouton. Certains invités, déjà largement imprégnés d'alcool, ne purent s'empêcher de flécher l'animal grillé. Ensuite, ils prenaient des poses avantageuses comme près d'un gibier abattu sous le crépitement des applaudissements et sous des ricanements sonores.

Confortablement installé dans son salon dans un fauteuil au tissu riche, Solo Dombo et une douzaine d'amis dégustaient bruyamment un mouton. Des couteaux tout neufs servaient à chacun à tailler les morceaux de son choix de la bête posée sur une table basse. On puisait le couscous dans les entrailles directement à la main. Les serveurs s'activaient pour les boissons, le sel, les épices. Ils avaient reçu la consigne ferme de ne pas laisser un seul invité avec un verre vide, même à moitié.

Malika détestait sans réserve ce genre d'orgies alimentaires où il fallait s'empiffrer et s'enivrer pendant des heures. Cela la rendait malade à vomir de voir tant de nourriture étalée sans souci de présentation et tant de personnes engloutissant à qui mieux mieux dans d'insupportables bruits de mâchoires. Mais Simon, lui, tenait à être de ces agapes pour une fois. Il pensait à son dossier sur la répartition des vivres. Un reportage sur les beuveries et les festins comme celui-ci, ces gaspillages incroyables, cet étalage insolent et grossier de richesses très souvent acquises aux dépens des sinistrés, feraient ressortir, bien que de façon caricaturale, le contraste saisissant et scandaleux avec des affamés mourant à moins de 50 km de la capitale parce que les secours qui leur étaient destinés avaient été détournés à d'autres fins.

Les deux jeunes gens n'avaient pas eu de peine à obtenir leurs invitations. Malika eut une carte pour deux personnes par l'intermédiaire d'un courtier en grains qui lui avait vainement fait la cour dans le temps et qui ne perdait pas espoir. Ce courtier était de ceux à qui Dombo avait offert des invitations supplémentaires pour leurs amis.

Le couple arriva assez tard au méchoui. Les moutons étaient largement entamés. Simon et Malika passèrent la grande porte sévèrement gardée par des vigiles, deux solides gaillards qui chassaient à coups de fouet et de hargne les enfants et les miséreux venus attendre la curée.

95

Dès leur entrée, un bonhomme rondelet, le courtier en grains, héla avec exubérance la jeune fille tout en continuant à mastiquer, bouche ouverte et barbouillée de graisse et en brandissant à bout de bras un énorme morceau de gigot.

— Hé, Malika, viens avec nous, nous dévorons l'archer ! (Eclats de rire complices des convives.)

Malika s'accrocha à l'épaule de Simon et se détourna, prise de vertige. « Allons dans le salon » dit-elle dans un souffle.

Au salon, l'atmosphère était la même mais, là, le cadre et le petit nombre des invités atténuaient le caractère vulgaire des attitudes et des propos. Simon et Malika s'assirent sur des chaises et aussitôt des serveurs leur apportèrent à boire.

Une porte claqua soudain bruyamment. Dans son jeans de velours marron et sa chemise de coton rayé, un jeune homme entra qui semblait détonner dans ce décor. Il évolua avec souplesse entre les meubles du salon, le regard accusateur et méprisant pour le groupe occupé à déchirer les chairs. Dombo, qui avait vu son fils adoptif depuis l'escalier, l'appela.

— Viens, Daniel, ce mouton est fameux ! Et ce couscous donc ! fit-il gourmet.

Dombo parlait presque avec déférence au jeune homme. C'était le fils de sa femme, une veuve qu'il avait épousée quatre ans auparavant. Il était fier de ce garçon de seize ans en apparence fragile mais qui était doué d'une forte intelligence. Il représentait ce que lui Dombo n'avait jamais pu être ou faire : suivre des études supérieures, bénéficier des considérations dues à l'intelligentsia, être plus tard ministrable et qui sait, présidentiable.

— Je n'ai pas faim.

Le ton était sec et accompagné d'un geste nettement négatif de la main.

— Allons, ne fais pas cette tête. Tu vois : tout le monde est content aujourd'hui.

— Oui, tout le monde est content, répliqua le jeune homme, arrosant d'un geste théâtral, l'œil mauvais, la petite assemblée des mangeurs. Vous êtes contents de manger le peuple, la chair du peuple. Ces moutons que vous dévorez comme des rapaces, c'est le peuple. Avec quel argent ont-ils été payés ? Avec l'argent tiré de la vente frauduleuse des vivres destinés aux paysans affamés C'est à eux et à eux seulement qu'on a envoyé les secours en céréales, en farine, en lait, en médicaments, en argent. Aujourd'hui, ils meurent de faim. Parce qu'ils meurent vraiment ! Avec quoi tous ces meubles ont-ils été achetés ? (Il tapa sur une bibliothèque garnie essentiellement de bibelots voyants.) Avec l'argent des vivres de la sécheresse. (Son regard très mobile allait d'un coin à l'autre de la pièce.) Avec les vivres destinés aux sinistrés... Ces meubles dits de luxe mais dénués de goût, cette armoire et ces vases soi-disant décoratifs. (Il secoua le meuble et en fit tomber quelques éléments.) C'est de l'argent volé. Ce verre (il se saisit d'un lourd verre de cristal), ça fait plusieurs repas pour une famille paysanne. (Il le brisa sur un rebord.) Je le casse et ça ne te dit rien. (Il s'adressait par l'index pointé à Dombo.) Mais demande un peu à la famille de brousse qui a été privée de vivres à cause de lui, de vivres de survie. C'est avec des tonnes et des tonnes de vivres arrachés de la bouche de gens sans espoir que tu t'es offert ce château, ce standing... ces futilités.

Plus il allait loin dans la diatribe, plus il s'énervait et plus il gesticulait et criait. Le petit groupe avait ralenti son rythme de mastication mais personne n'avait arrêté de manger. Comme si on voulait minimiser la chose et laisser le jeune homme s'essouffler de lui-même.

— Allons, Daniel, fit Dombo, indulgent, ne te casse pas la tête avec ce genre de problèmes. Tu n'y comprends rien. Allez, viens manger. (On se serra un peu pour lui faire de la place.)

— Empiffrez-vous sans moi, canailles ! assassins !

Un des convives, le Contrôleur général de l'Acheminement des Aides, un nommé Guilo, s'avisa de conseiller à Dombo de faire taire le trouble-fête.

— Un peu d'autorité, voyons, Dombo. Le petit va finir par nous couper l'appétit, et gâcher la fête.

— La fête ! La fête ! C'est la fête pour vous tous les jours. Vous pouvez manger, rire, vous réjouir aux dépens des affamés, en toute impunité. Vous êtes tous des voleurs du peuple, tous autant que vous êtes. (Il fit un large mouvement du bras pour inclure toute la tablée.) Qui d'entre vous peut dire qu'il a gagné sa fortune autrement que par le pillage des aides. (Et désignant du doigt celui qui avait tenté de pousser Dombo contre lui.) Toi, Guilo, d'où viennent tes immeubles ? (et répondant lui-même) : de la sécheresse. Du mil, du maïs et du riz dont tu es chargé de veiller à la bonne répartition. Toi. (Son doigt se déplaça d'un cran vers un homme joufflu qui mastiquait un énorme morceau sans avoir l'air de se préoccuper de ce qui se passait.) Toi, Dosso, d'où vient ta flotte de camions ? Elle est constituée de véhicules gracieusement envoyés de l'étranger pour acheminer les vivres aux sinistrés. Tu ne peux pas dire que tu les as achetés car c'est toi-même, en tant que gérant du parc automobile, qui en as fixé les prix et les avantageuses conditions de paiement. Tu as invoqué pour cause de ces ventes, un surplus de véhicules difficile à gérer par le service d'acheminement. Autant dire que tu te les as offerts. Toi, Chaikou, trésorier de la Caisse d'urgence, où sont passés les fonds recueillis pour parer vite aux cas les plus critiques ? Les paysans n'en ont jamais vu la couleur.

C'en était trop pour les invités. L'étonnement et la colère se lisaient sur leurs visages. La seule femme du groupe, du nom de Assa, une grosse au visage quelconque mais aux bras et aux cheveux couverts de bijoux en or, jeta un regard effaré.

— Mais arrêtez-le, faites-le taire.

— Rien ne me fera taire. (Daniel aiguisa son œil sur la dame.) Toi, Assa, tu mérites une mention spéciale. Toi, tu tues les bébés et les petits enfants. Tous ces bijoux qui te recouvrent, ce sont les bijoux de la mort. Combien de tonnes de lait, de sucre, confiées à toi ont été vendues à ton propre profit ? C'est toi qui es chargée de la section nutrition infantile. Combien sont morts et combien mourront à cause de ta soif de bijoux ? T'es-tu jamais imaginée le spectacle d'un enfant squelettique tétant les mamelles vides de sa mère affamée ? Ces enfants, des gens ont été sensibles à leur détresse et leur ont envoyé de quoi survivre. Et ce lait, ces rations de protéines disparaissent pour réapparaître sous forme de bracelets d'or à tes bras. Un seul de ces bracelets représente une cargaison entière de lait qui n'arrive pas à leur destinataire. Quant à ton mari, le docteur Gassi, qu'il dise un peu ce que deviennent les médicaments destinés en priorité aux sinistrés de la zone Nord, les plus touchés par le fléau ?

Cette fois, les injonctions à Dombo se firent menaçantes.

— C'est ton fils ou non, Solo ? Calme ce forcené, sinon nous, on s'en va ! (Quelques-uns s'étaient déjà levés.)

Dombo bougonna avec un sourire gêné :

— Laissez-le donc se défouler. On en a vu d'autres, allez !

Ces interventions finirent par déchaîner totalement Daniel qui s'en prit à tous les meubles. Il n'y eut plus aucun vase intact.

Simon se leva de sa place et dans un geste qu'il voulait de sympathie, mit un bras sur l'épaule du jeune homme et tenta de l'amadouer. Les convives, soulagés, interprétèrent cette intervention comme une façon diplomatique de calmer l'agité. Mais, intraitable, Daniel rejeta violemment le bras qui se voulait ami.

— Ne me touche pas, exhala-t-il à plein gosier. Toi, Simon Dia et tes confrères de la Presse, vous êtes de la même bande que ces assassins. Vous ne parlez jamais de leurs crimes quotidiens contre le peuple. Vous permettez ainsi à ces individus immondes de commettre leurs forfaits en toute discrétion. Vous êtes complices par lâcheté et par opportunisme.

Il donna un coup de pied à un tesson de vase puis s'élança vers l'escalier qu'il monta rapidement, claqua la porte derrière lui. Puis ce fut le silence, souligné par quelques notes musicales venues du jardin et grattées sur une guitare qu'on accordait.

Ce fut Dombo lui-même qui brisa la glace.

— Un bon petit gauchiste à seize ans, cela donne

à trente ans un excellent héritier et un parfait chef d'entreprise.

Toute l'assemblée des amis éclata de rire sans rancune. On fit signe aux serveurs, on reprit les couteaux et bientôt le bruit des mâchoires domina de nouveau les conversations.

— Il est vraiment charmant le petit, ricana Assa. Ainsi, selon lui, on devrait laisser toutes ces richesses à des guenilleux. (Eclats de rire.)

— Qui de toutes façons n'ont d'autre destin que d'être miséreux de génération en génération, abonda son voisin. (Les rires fusèrent de nouveau.)

— En tout cas, grâce à moi, dit Dosso, une côtelette grillée à la main, grâce à moi, le paysan dispose d'une entreprise de transport d'envergure. Cela donne du travail à des gens qui autrement seraient dans la rue ; cela crée de la plus-value, augmente la richesse du pays. Et (il mordit à pleines dents dans la viande) je paie des impôts à l'Etat, enfin... disons en principe (rires). Eh bien, moi je vous dis, si tout cet équipement était consacré aux péquenots, cela ferait un grand trou dans le budget de l'Etat, des dépenses à fonds perdus. (On acquiesça bruyamment.)

Chaikou, le trésorier, intervint :

— Nous sommes en situation de sous-développés et en pleine sécheresse. Cela équivaut à un état de guerre et dans toute guerre, il y a inévitablement des victimes, pas vrai ?

— Tout à fait d'accord, déclara le docteur Gassi. Et que ce soit les paysans qui paient le tribut, cela va de soi. Ils sont les plus nombreux. Et seuls pourront survivre ceux qui s'adapteront au monde d'aujourd'hui. Dans ce pays, 75 % de la population travaille la terre. Il est désolant de voir que ces 75 % sont incapables de produire assez pour se nourrir. Vous vous rendez compte ? Des agriculteurs à plein temps, qui ne connaissent que la terre depuis des millénaires et qui sont incapables rien que de se nourrir eux-mêmes... Alors que dire des 25 % de la population qui habitent les villes. Qui les nourrira ? Eux sont obligés d'importer parce que les paysans sont carents. On ne peut donc pas faire confiance aux ruraux pour s'acquitter de la mission élémentaire qui leur est dévolue dans la division nationale du travail. D'ailleurs cette sécheresse est l'occasion pour eux d'effectuer leur mutation. Il est temps, s'ils veulent survivre, qu'ils adoptent la modernisation. Qu'ils changent de cultures si les anciennes sont inadaptées et qu'ils changent de menus alimentaires en fonction des cultures nouvelles. Voilà ce qu'il leur faut et qu'il faut leur imposer. (Applaudissements ponctués de « c'est vrai, c'est vrai ! »)

Simon et Malika étaient éberlués par tant de cynisme.

— Partons, partons d'ici, Simon. Je ne peux pas en supporter plus. (Et, comme son ami voulait intervenir.) Non, ne leur dis rien, ça ne changera rien. Ils n'ont aucune conscience.

Dans la rue, le cercle des mendiants se faisait plus pressant d'impatience. Les coups de fouets des cerbères ne les faisaient plus reculer.

— Daniel a raison. Même ce qu'il a dit des journalistes est vrai.

Il n'y avait aucune provocation dans la voix de Malika, seulement une tranquille franchise.

— Il a raison, il a raison, grommela Simon. Peut-être bien ; mais je n'aime pas sa façon de mettre tout le monde dans le même sac. Et puis, il ne faut pas qu'il prenne sa crise d'adolescence tardive pour une prise de conscience politique. Et puis encore, tu as vu ses yeux ? Je parierai qu'il était drogué.

— C'est ça. Tu ne trouves pour te défendre que l'attaque personnelle. Ce que Daniel dit, nombre de jeunes le pensent et voudraient agir, mais la répression n'est pas un vain mot dans notre pays. Et elle a un effet dissuasif certain. Je pense qu'il faut plutôt rendre hommage à Daniel pour avoir dit ouvertement la vérité. Que ce soit dû à des hormones en folie ou une drogue, cela ne change rien à la réalité. Les journalistes sont complices, consciemment ou non. Ils ne font pas leur boulot.

Simon ralentit son pas que la nervosité accélérait.

Malika avait de la peine à le suivre et avait même commencé à trottiner.

— Il faut que tu comprennes, dit Simon. Ici comme ailleurs en Afrique, les journalistes sont avant tout des fonctionnaires dans la plupart des cas car les Etats détiennent le monopole de la presse. Les journalistes sont donc payés par l'Etat qui, comme tu le sais, s'assimile au régime en place et même carrément à l'individu qui dirige le pays. Bien sûr, ce sont les impôts, donc l'argent du peuple, qui sert à payer leurs salaires. Mais c'est l'Etat l'employeur et pas le peuple. Et même en achetant un journal ou un poste de radio surtaxé, le public n'acquiert pas pour autant des droits sur le contenu des médias qui, je te le rappelle, sont propriétés de l'Etat. Tu vois le résultat : le lecteur ou l'auditeur doit se contenter de ce qu'on lui offre et qu'il a payé doublement avec son argent. Evidemment s'il n'est pas satisfait, il peut toujours capter les stations étrangères ou lire les journaux étrangers. Mais tu sais que dans certains pays, capter des stations ou lire des journaux qualifiés d'anti-nationaux peut conduire en prison. Ignoble, diras-tu. Mais revenons au journaliste qui est la cible des critiques des consommateurs de médias. Eh bien, toujours comme les autres fonctionnaires, le journaliste n'a de comptes à rendre qu'aux autorités et à elles seules. Il n'y a même pas une loi pour les y obliger. D'ailleurs elle serait absurde. Ainsi, le journaliste fait ce qu'on lui dit de faire et s'abstient de traiter ce qui pourrait porter le plus léger ombrage sur le régime en place, sa politique, ses hommes. Censure et autocensure enlèvent au journaliste toute marge de manœuvre. Il n'a que le choix suivant : ou s'intégrer dans le système et glapir avec les chacals ou changer de métier. Car il serait dangereux pour sa santé d'aborder des sujets tabous ou de traiter les événements de façon non conformiste. Finalement on ne peut pas parler d'objectivité pour nous autres journalistes africains. On peut à la rigueur parler d'honnêteté, c'est-à-dire de ne pas se laisser aller à des bassesses comme le mensonge, la flagornerie, la lâcheté.

— Mais alors, s'ils ne font pas leur métier, qu'on leur trouve donc une autre appellation, s'indigna Malika. En tous cas, pour moi ce ne sont pas des journalistes au sens propre du terme.

— Ecoute, protesta Simon, nous autres journalistes...

— Vous n'êtes pas des journalistes, je te dis. Un journaliste, ça informe.

— Si tu veux. Je voulais te dire qu'il ne faut pas que tu crois que nous sommes à l'aise dans notre peau, enfin je parle de ceux qui veulent réellement travailler. Nous voyons bien que ça ne va pas. Ça ne va pas au niveau de la situation générale dans le pays et ça ne va pas du tout au niveau de la façon de traiter l'actualité. En écoutant uniquement la radio nationale ou en lisant chaque jour le quotidien, on serait tenté de dire que les dirigeants sont exceptionnels et que tout va bien puisque le peuple semble heureux. La réalité est loin de ça. Pour ma part je vois ou je constate des tas de choses dont je voudrais parler mais je sais clairement que ça ne passera ni à la radio ni dans le journal. Regarde ce qui se passe au niveau de la répartition des vivres aux sinistrés. C'est un vaste scandale national. Quelques-uns s'engraissent avec les vivres destinés aux plus démunis. Et pourtant, ces sinistrés, ce sont nos compatriotes. Et en temps normal, ce sont eux qui paient les impôts... A-t-on jamais entendu parler de ces détournements dans nos médias ? Non ! Pour la bonne raison que ça peut aller loin et haut. Moi, j'en parlerai dans mon dossier d'enquête sur l'acheminement et la répartition des vivres. Mais qui va lire ce dossier ? Juste quelques cadres d'un organisme étranger comme on en voit beaucoup. Tu me diras que je pourrais l'écrire dans un journal étranger. Soit, mais tout journal comportant des informations objectives sur les malversations n'a aucune chance de pénétrer dans le pays. Et si je signais de mon nom, tu imagines les ennuis qui en découleraient pour moi.

— Et les risques du métier ?

— Des risques, oui, mais pas des risques inutiles. Le journaliste est dans la ligne de mire des dirigeants qui, sans l'avouer, craignent les journalistes au même titre qu'ils se méfient des cadres militaires. Le journaliste qui ferait correctement son métier est presque un opposant. Car en informant le peuple comme il se doit, il fournit une arme pour abattre les potentats qui nous gouvernent. Tu ne peux imaginer le nombre de journalistes africains envoyés en prison ou interdits de toute vie active pour avoir simplement écouté leur conscience professionnelle.

Pas convaincue, Malika attaqua de nouveau :

— Tous ces états d'âme ne changent rien à la souffrance du peuple. Les autres catégories professionnelles font des efforts et des sacrifices pour que le pays s'en sorte. Pourquoi les journalistes n'essaieraient-ils pas de faire leur métier au lieu de tenir le rôle peu digne de cireurs de bottes. Regarde ce qui se passe pour la sécheresse. Tout ce que les journalistes font dans ce domaine, c'est de répercuter les appels à l'aide internationale lancés par le gouvernement. On sait dans quelles poches vont ces aides. Le second aspect de ce rôle peu reluisant, c'est de faire grand bruit dans les médias nationaux en parlant de la « distribution » des vivres, distribution présentée aux bénéficiaires pratiquement comme un bienfait du gouvernement et qui vaudra aux dirigeants éloges et remerciements de la part des récipiendaires. En somme, les journalistes ne sont que des caisses de résonance.

— Ma parole, fit Simon interloqué, est-ce que tu n'aurais pas fumé de l'herbe, toi aussi ? C'est à croire que Daniel et toi, vous vous êtes donné le mot aujourd'hui. Bon, admettons, ajouta-t-il sans grande joie. Mais il faut que tu comprennes, que les gens comprennent : les journalistes africains sont nombreux à vouloir faire convenablement leur travail. Mais on ne les laisse pas faire, pour les raisons dont je t'ai parlé. L'intérêt du peuple et l'intérêt du gouvernement sont loin d'être convergents. Tant qu'il y aura des dirigeants motivés uniquement par l'ambition personnelle, l'enrichissement et la renommée, les intérêts du peuple attendront.

Il s'arrêta de parler, attendant une réplique. Mais

comme la jeune fille ne relançait pas le débat, il proposa :

— Si on allait manger du yassa au restaurant La Margueraie ? Nous venons de prendre l'apéritif chez Dombo et toutes ces émotions ça creuse.

Les lampadaires éclairaient déjà la rue. Les gens rentraient dîner. Malika enlaça son compagnon d'un bras autour de la taille, glissa une main dans sa jupe-culotte et se laissa aller contre lui. Simon eut un geste tendre de la main sur la joue de son amie. Mais déjà il pensait à ce qu'il avait vu et entendu chez Dombo. Il était convaincu désormais que l'affaire de l'archer devait être liée d'une façon ou d'une autre à la sécheresse. Il se promit de revoir le vieux Sambou. Il avait l'intuition qu'on reparlerait bientôt du flécheur de l'ombre. Du vrai.

12

Le lendemain matin, Solo Dombo arriva assez tard à l'Office de Stockage des Céréales. « Quand on est Directeur général de l'Office, on peut se le permettre », se dit-il, suffisant. Et puis le soleil matinal caressant était là pour rappeler aux vivants qu'il fallait prendre le temps de vivre. Dombo souriait donc au soleil, à la vie. Il pensa à sa femme Thérèse, la mère de Daniel. Thérèse qui avait accepté de changer de religion pour l'épouser et qui était clouée au lit depuis plusieurs jours, malade d'inquiétude. Elle était tourmentée comme par une prémonition insistante que l'archer en voulait à son mari aussi. Il avait beau la rassurer, rien n'y faisait. Avec des amies de son ethnie venues lui rendre visite, elle faisait des séances de cauris divinatoires où immanquablement elle voyait le malheur. Dombo la rassura en lui disant que Mamba Noir avait été arrêté. « Mamba Noir n'est pas l'archer », ne cessait-elle de répéter...

En garant sa voiture dans le parking de l'Office, Dombo repensa à sa femme et s'inquiéta un peu : « Je sais qu'elle a comme un don de voir venir les événements et jusqu'à présent, elle s'est rarement trompée, se dit-il en lui-même, mais cette fois-ci, elle fait fausse route. Sa sensibilité extrême lui joue des tours. Avoir peur de quelqu'un qui est sous les verrous, pft ! Et puis, je n'ai rien à me reprocher. Je suis un ami du peuple, moi. Je participe aux clubs de charité. Je ne dois rien à personne.» Dombo souriait. Le sourire s'élargit quand il vit l'homme qui venait à sa rencontre. Tout aussi replet que lui, le même visage sans séduction à force de rapacité, les mêmes yeux qui étalaient la ruse et la combine. Le nouveau venu tapa discrètement dans la main de Dombo, et boubou contre boubou, ils se retirèrent dans un coin du parking.

— Félicitations pour hier, commença l'homme. J'étais invité mais pas parmi les invités d'honneur. Et comme tu vois, je ne suis pas rancunier. Je crois bien que je suis le premier à traiter affaires avec toi aujourd'hui.

— Ne t'en formalise pas, cher ami. Je projette une nouvelle réception pour bientôt et, à côté, le méchoui d'hier aura l'air d'un petit hors-d'œuvre. Et là, je te mets sur la liste d'honneur.

— Si c'est ainsi, mon cher Solo, j'augmente ma commande. J'étais venu pour 150 tonnes de riz et 130 de farine. Maintenant tu vas y ajouter un chargement de maïs. En plus, je voudrais que tu me présentes à Assa. J'ai besoin de 70 tonnes de lait en poudre.

La conversation s'était déroulée à voix discrète.

L'homme voulut faire transporter sa commande par les camions de Dosso.

— Impossible, dit Dombo. Les céréales, tu en auras tant que tu voudras. Mais la flotte de Dosso n'est disponible que pour l'acheminement de vivres vers la brousse. Tu sais qu'il y gagne plus et nous aussi d'ailleurs avec les commissions et autres opérations (petits rires complices). Adresse-toi à un autre transporteur. Vois Nama, il s'est fait bêtement écarter du transport de vivres par un cadre du ministère pour une banale histoire de fesses. Il te trouvera rapidement des véhicules...

Il marqua une légère pause puis :

— Tu as l'argent. Tu connais la règle ? Comptant compté ou rien !

— Bien sûr, bien sûr, répondit l'autre en sortant une grosse liasse de billets de banque. Voilà, tout y est, ajouta-t-il. Ah, j'oubliais pour le maïs. (Il puisa à nouveau dans sa poche.) Je suis réglo, moi. Parce que les bons comptes font les bons amis... (Remettant la somme.) Allez, tope-là et à la prochaine.

Ils se serrèrent la main et se séparèrent.

En sortant du parking, Dombo se mouilla deux doigts. Il n'avait aucune raison de faire confiance à l'autre. Il entreprit de compter les billets debout face à la barrière de fil de fer qui clôturait l'Office. De l'autre côté, des buissons épars indiquaient que les lieux étaient encore la brousse. Dombo compta avec un plaisir évident, sûr d'être seul.

Mais là, à quelques mètres, adossé à un arbuste et dissimulé par un buisson, l'archer comptait en même temps que lui. Mais au lieu de billets de banque, il dénombrait, lui, des bulletins de décès avec, tamponnée en gros caractères sur chacun, la mention « mort de faim ». Pressentant une présence, Dombo leva la tête et vit l'archer qui le pointait de sa flèche. Il lâcha aussitôt la liasse sous le coup de la panique. Les billets s'éparpillèrent au vent. Tournant les talons, il esquissa la fuite.

.:.

— Et de quatre !

Mbaye était amer en lisant le rapport du médecin légiste : Solo Dombo, trente-quatre ans, directeur général de l'Office de stockage des céréales. Mort de blessures causées par une flèche barbelée avec deux dents de harpon asymétriques. Le projectile l'avait frappé dans le dos alors qu'il tentait, semblait-il, de fuir. La flèche avait traversé le muscle rhomboïde gauche, entre l'omoplate et la colonne vertébrale et avait tranché la veine pulmonaire.

Mbaye tira un autre rapport du dossier, celui du commissaire du secteur périphérique-Est. Il notait que le corps avait été découvert vers 9 heures et demie du matin, affalé dans un éparpillement de billets de banque...

Un avis de décès fut radiodiffusé par la famille de Solo Dombo.

13

— Tiens, Simon ! Tu viens seul aujourd'hui ? Tu dois avoir chaud. Dans la jarre il y a de la citronnade au gingembre. C'est frais et tonique. Et viens prendre place sur le petit banc à côté de moi.

Comment le vieux peut-il dire tout cela à la fois, se demanda Simon après avoir salué. Il puisa dans la petite jarre et but une rafraîchissante rasade de citronnade sucrée au miel.

— Où en est votre enquête ?

— Mbaye dit qu'il a arrêté quelqu'un qui pourrait être l'archer.

— Il a arrêté tout ce qu'on voudra sauf l'archer, dit Sambou, sûr de lui.

— Pourtant les présomptions contre lui sont lourdes. Il a trempé avec son frère dans une affaire de fabrication d'arcs et de flèches. Et en plus, c'est un passionné de serpents. Tout le désigne comme suspect.

— Eh bien, je te dis, ce type a beau commettre tous les crimes imaginables, ce n'est pas l'archer et il n'est pour rien dans cette affaire.

Simon éprouva l'espoir de voir confirmer ou infirmer son hypothèse sur l'archer. Le vieux avait l'air d'en savoir long. Simon se rapprocha un peu plus avec intérêt du solide vieillard et lui demanda :

— Mais alors, si ce n'est pas lui, l'archer, c'est qui ?

Le vieil aveugle se racla la gorge.

— Vois-tu, l'autre jour, avec ton ami le commissaire, je n'ai pas voulu tout dire. Parce que, vois-tu, je tenais à protéger mes amis bassari. Et je suis plutôt content que le commissaire n'ait pas retenu le renseignement que j'ai donné alors que je ne m'imaginais pas encore bien tout ce que cela pouvait couvrir. Simon était de plus en plus intéressé et ne le cachait pas.

— Tes amis bassari ? Tu veux dire qu'ils sont plusieurs archers ? Mon intérêt pour cette affaire va t'étonner. Cette curiosité n'est pas personnelle mais professionnelle.

Et d'expliquer le lien qu'il pensait exister avec la sécheresse, ce qui l'amena à parler du travail d'enquête journalistique qu'il menait.

— Ce que tu me dis-là me rassure. Si c'est pour aider un organisme à mieux effectuer son travail d'assistance, c'est bien et je t'en félicite. Maintenant, au sujet d'un lien possible entre cette affaire et la sécheresse, j'avoue que je n'en sais rien. Tu as peut-être raison de penser qu'il existe. Actuellement tout est lié à la sécheresse dans le pays.

— Que sais-tu de l'archer ?

Le vieillard se releva légèrement sur son siège et prit son temps avant de répondre.

— Cette histoire, crois-moi, dépasse la simple anecdote d'un archer fléchant des cibles sélectionnées. Je suis en mesure de te dire que ces flèches viennent très précisément du village bassari d'Oniateh. J'ai été comme tu sais colporteur de produits divers dans tout le pays. J'ai eu ainsi l'occasion de m'initier à certaines techniques et à certains secrets à caractère magique dans les villages où j'ai pu me constituer un capital d'estime, et ils sont nombreux. Ceux d'Oniateh m'ont présenté leur forgeron et sa technique particulière de fabriquer des outils et des armes. Parmi les armes, j'ai remarqué les flèches barbelées avec deux dents de harpon asymétriques dont vous m'avez montré un exemplaire dimanche dernier.

— En quoi la technique de ce forgeron était-elle particulière ?

— En ce qu'il avait une histoire particulière. C'est ce qui fait que ses flèches ne se retrouvent pas dans les modèles bassari courants. Son aïeul était arrivé en pays bassari, fuyant l'esclavage. Il avait réussi à s'échapper d'un convoi d'esclaves en route pour la côte atlantique et l'embarquement vers des pays inconnus. Sa course l'a amené vers l'ouest chez les Bassari qui l'ont accueilli. C'était il y a bien deux cents ans. Le réfugié a fait souche à Oniateh où on l'accepta à part entière dans le clan. Il était de la caste des forgerons dans son village d'origine dont il a gardé la technique de fabrication des flèches barbelées. Il les a dotées de quelques caractéristiques comme les dents qui tiennent lieu de pointes de harpon de certaines flèches bassari. Il a transmis sa technologie à ses enfants qui la communiquèrent à leurs descendants et ainsi de suite jusqu'à nos jours.

Sambou s'arrêta de parler et demanda de la citronnade au gingembre. Après avoir éclusé le godet, le vieux émit un rot bruyant.

—Donc, grand-père, un archer bassari du village d'Oniateh se met à tuer des gens dans les rues de Kionda. Tu m'as bien l'air d'en savoir un bout. Alors dis-moi ce qui peut motiver une telle série. Quel intérêt l'archer tire-t-il de cette affaire ?

— L'archer ? Il n'en tire aucun intérêt personnel. Il agit sur commande. Il est en mission.

Sentant la perplexité de Simon qui restait muet, il ajouta :

— Eh oui, je sens que ça te la coupe. Je vais t'expliquer mais je me demande si ta cervelle d'enfant des villes peut bien saisir ce que je vais te dire.

Le journaliste se redressa sur son inconfortable siège. Le vieux Sambou tâtonna sur le sol à la recherche de sa tabatière. L'ayant trouvée, il prisa un peu de poudre brune. Il éternua fort. Puis, comme soulagé, il continua d'une voix calme.

— Ces gens qui meurent à la file pour des raisons inconnues sont tous des Bassari qui ont commis une faute grave. Ils ont abandonné leurs patronymes bassari et ont pris des noms d'ethnies de la capitale. Pour se camoufler. Parce qu'ils redoutent des représailles qui ne manqueraient pas de venir du village et qui seraient terribles. La sentence est connue d'avance : la mort. Ont-ils tué ? Ont-ils profané un sanctuaire ? Ont-ils bravé un interdit ? Ont-ils trahi ? Si je peux te parler du but exact de la mission de l'archer, je suis incapable de t'en donner les causes. Mais une chose est certaine, il s'agit d'une affaire très grave.

Le vieux se racla de nouveau la gorge. Ce qui fit penser au jeune homme qu'il allait dire quelque chose d'important.

— Vois-tu, je suis Grand-Initié dans certaines sociétés secrètes bassari. J'aurai tôt ou tard ma part d'information par ceux d'Oniateh. Mais comme je connais les lois des sociétés, je peux te dire que dans le cas de forfaits particulièrement dangereux pour la survie ou l'équilibre du clan, il est décidé de châtier le ou les coupables. Le Comité secret du village, composé de grands Initiés, se prononce au cours d'une réunion sur les sanctions à prendre, choisit le mode d'exécution et désigne le ou les exécuteurs. Tu as sans doute entendu parler des hommes-panthères ? Eh bien, ce sont en fait des exécuteurs. Ils ne se métamorphosent pas en panthères comme on le croit mais portent des griffes de fer aux mains et aux pieds, lacèrent leurs victimes et laissent sur le terrain de nombreuses traces de félins pour faire croire au commun des mortels et, ensuite, à l'administration coloniale qu'il s'agit d'une attaque de panthères. Il est déplorable que ces institutions d'hommes-panthères, d'hommes-lions, etc., au rôle bien défini dans le passé, se soient de nos jours dévoyées au point d'être devenues des instruments de vengeance personnelle ou d'assouvissement d'ambitions. Mais pour revenir à l'archer, il est clair qu'il accomplit la même mission de châtiment que les hommes-panthères. Seulement on a choisi un tireur à l'arc parce que je pense d'abord qu'il doit être difficile, voire impossible, à un homme-panthère griffu d'évoluer dans une grande ville ; et parce que cela risque de semer la panique dans une agglomération de plusieurs centaines de milliers d'habitants comme Kionda. Les peurs ancestrales pourraient refaire surface à cette occasion et désorganiser complètement la capitale.

— Est-ce que les Bassari emploient souvent ce genre de justice ?

— Très peu dans le passé et pratiquement plus aujourd'hui. Les Bassari sont des gens pacifiques. S'ils ont envoyé un exécuteur, c'est qu'il a dû se passer quelque chose qui a menacé sérieusement l'existence du clan. Mais il ne faudrait pas croire que le Comité secret agit par esprit de vengeance. Son action lui est inspirée par les ancêtres défunts et les exécutions sont destinées à les calmer, eux et les autres divinités qui veillent sur l'ordre des vivants et sont donc opposés à tout désordre qui mettrait en péril l'entité du clan et par-là même leur raison d'être à eux. Quand ils sont dérangés dans leur sérénité, ils font part de leurs colères et de leurs volontés au Grand Officiant lors des cérémonies de la société secrète. La mort des coupables est une sorte de sacrifice fait aux divinités, la vie et le sang des victimes constituant une offrande. D'habitude, pour les délits mineurs, les dieux se contentent de l'immolation d'animaux en guise de réparation. Mais cette fois le crime qui a suscité leur courroux a été certainement monstrueux.

Simon se sentait plongé dans le monde mystérieux et exaltant des initiés. Il avait l'impression de suivre sa première leçon d'initiation aux secrets réservés. Mais ses réflexes professionnels reprirent vite le dessus.

— Et les villageois dans tout cela ? Je veux dire les villageois ordinaires. Quel a été leur rôle ? Ont-ils pris une part quelconque à cette décision ou a-t-elle été soumise à leur approbation ?

— Les villageois n'ont joué aucun rôle actif. A part les Grands Initiés, personne d'autre au village ne sait ce qui se déroule dans l'ombre. Pas même les initiés adultes qui ne font pas partie du Comité secret. Mais le Comité secret est assuré du consensus muet de la communauté et peut agir la conscience tranquille.

— As-tu une idée de l'exécuteur ?

— Je n'ose l'affirmer catégoriquement, mais je pense qu'il s'agit d'un jeune Bassari qui connaît assez bien la ville pour pouvoir y évoluer à l'aise et assez doué, très doué même pour manier un arc. A moins

113

qu'il ne soit aidé par un Bassari citadin de longue date. Une fois sa mission accomplie, il retournera au village reprendre sa place sans exiger le moindre privilège. Sa récompense sera d'être admis au Comité secret plus tôt que ceux de sa classe d'âge. Mais dès maintenant, il est tenu à l'obligation de réserve. Il a été choisi en secret, formé en secret, envoyé en secret. Et quand je parle de formation, j'entends surtout la préparation psychologique et ésotérique, plus importante que la formation para-militaire.

— Et si l'archer était pris par la police ?

— Dans ce cas il mourra sous la torture plutôt que de dire ne serait-ce que son nom.

Le journaliste était surexcité par tout ce qu'il venait d'apprendre.

— Je pars pour Oniateh, décida-t-il tout de go. Dès aujourd'hui. D'abord je choisis ce village comme champ d'enquête de mon dossier puisque, de toutes façons, il me faut aller sur le terrain. Le pays bassari étant frappé durement par la sécheresse, Oniateh doit souffrir le même calvaire commun à toute la région. Ainsi mon reportage portera en partie sur Oniateh comme exemple de village sinistré et j'y parlerai de l'acheminement et de la répartition des secours. Ou leur non-acheminement. Ensuite, grand-père, je vais à Oniateh pour en savoir plus sur cette affaire.

Le vieillard se lissa la barbe, songeur.

— C'est une bonne chose que d'informer correctement ceux qui veulent aider ces malheureux affamés, dit-il. Quant à ton désir d'en savoir plus sur l'archer, c'est une curiosité dont je ne te garantis pas que tu pourras la satisfaire. Mais je vais faire mon possible pour te faciliter la tâche. Tendi, le chef du village, est un vieil ami.

14

Simon poussa la porte de la chambrette et s'assit sur le lit. Malika revenait de la douche et vint terminer de s'essuyer dans la pièce.

— Ça avance, ton dossier sur la sécheresse ?

— Oui, ça avance vite. Tellement vite que je vais voyager aujourd'hui.

— Où ça ?

— Chez les Bassari.

— Et tu reviens quand ?

— Là, je n'en sais rien. Je sais quand je pars — je prends le train pour Kénédou ce matin — mais je ne sais quand je reviendrai. Tout dépendra des difficultés sur le terrain.

Nue dans sa grande serviette, Malika finissait de s'essuyer sans fausse pudeur... La vue du corps splendide de son amie mit Simon en émoi comme d'habitude. Son regard enflammé détailla le joli visage en forme de cœur, le buste ferme, le bassin taillé dans des courbes harmonieuses. C'était à croire qu'il la voyait pour la première fois. Il se sentit tendre.

— Viens ici avec moi, dit-il, en tendant la main, la voix transformée par le désir.

— Trop tard, chéri, répliqua fermement Malika. J'ai une course urgente à faire. J'ai juste le temps de m'habiller.

Et, posant un pied sur le lit, elle entreprit de le sécher. Simon se saisit du jarret et la tira doucement à lui. Ainsi déséquilibrée, elle fut obligée de basculer sur le lit pour ne pas se retrouver durement sur le carreau. Et elle tomba droit dans les bras de son ami. Simon ne put s'empêcher de rire de son coup.

— Mais tu es fou !

— C'est toi qui me rends fou !

— Est-ce que tu m'aimes ? demanda-t-elle d'une voix qui· commençait à languir.

— Je t'adore. Comme un fou !

⁂

Simon trouva le train archi-comble. Impossible de trouver une place assise. On payait son ticket au guichet de la gare, et dans les voitures de deuxième classe, il fallait payer le droit à une place à la petite maffia des trains qui rackettaient les voyageurs. Des bandes de voyous occupaient les places assises très tôt et ne les cédaient que contre paiement d'une rançon. Simon aperçut une place vide sur laquelle un porte-clé posé bien en évidence indiquait qu'elle était réservée. Une nouvelle forme de racket, sans doute, pensa Simon. Mais les trois jeunes gens qui occupaient les trois autres places ressemblaient plutôt à des instituteurs. Simon décida de ne tenir aucun compte de cette réservation improvisée et illicite et vint s'asseoir d'autorité. Il salua quand même et rassura les trois compagnons.

— Excusez-moi d'occuper cette place réservée à votre camarade. Je la lui rendrai dès qu'il se présentera.

Simon était grand et il en imposait sur le plan physique. Malgré cela il ne lui était jamais venu l'idée d'abuser de cet avantage. Mais ce jour, il avait résolu de garder cette place assise, qu'il considérait comme inoccupée. A juste titre. Car un des trois hommes, un costaud au regard franc, lui dit :

— T'en fais pas. Tu peux l'occuper pour de bon. En fait, nous sommes seulement trois mais nous tenions à pouvoir choisir notre quatrième voisin. Le voyage est long et nous ne voulions pas avoir à côté de nous une de ces « mama-marché » surchargées de poissons secs, de soumballa et d'autres produits odorants... et qui n'aurait pas manquer de caqueter avec une autre mama assise quatre bancs plus loin.

Simon accepta cette explication et remercia.

— Je m'appelle Békaye, dit le jeune homme. Le petit maigrichon-là, qui est le plus âgé de nous trois, s'appelle Chérif, comme dans les westerns et c'est son vrai nom ! Et le singe-là, en face de toi, s'appelle Woro. (On rit.)

C'est alors que Békaye proposa des cigarettes que Simon refusa. Il se présenta à son tour.

— Vrai ? C'est toi le Simon Dia de la radio ?, dirent-ils tous avec une pointe d'admiration dans la voix. Nous, nous sommes enseignants et nous étions venus acheter du matériel scolaire pour nos écoles.

Pour ces enseignants anonymes, le journalisme représentait un métier où l'on pouvait se faire un nom, une réputation et qui devait rapporter beaucoup d'argent puisque les journalistes fréquentent habituellement les gens qui comptent dans le pays.

Le train siffla bruyamment et démarra sèchement. Ce qui rejeta les voyageurs debout sur les voyageurs assis et ceux qui étaient assis, les uns sur les autres. Des jurons bien sentis fusèrent de tous côtés contre le mécanicien dont la mère et la grand-mère furent gratifiées de qualificatifs peu flatteurs pour leur vertu.

Les villages défilaient le long de la voie, grillés sous le soleil. Les gares, grandes et petites, avaient un air délabré. Les arbres, rabougris ou squelettiques, ponctuaient le trajet de leurs silhouettes sinistres. Le paysage était de plus en plus marqué par la désolation de l'aridité du sol, des champs en friches, de l'absence de mouvement, de vie.

Commentant le triste spectacle qu'ils voyaient, les voisins de Simon en vinrent à discuter de la sécheresse à la campagne et des problèmes qu'elle posait.

— Moi, les aides, je suis contre, lança Woro. Surtout les aides en vivres. Ça rend les paysans paresseux. Ça les habitue à attendre tout des autres. Ça leur désapprend le travail et la fierté de s'auto-suffire en nourriture. Et puis ça donne à nos gouvernements une réputation de mendiants internationaux. Le travail, l'effort personnel, il n'y a rien de tel. Ce qu'il faudrait faire avec l'argent de la sécheresse, c'est acheter des machines agricoles, développer l'immobilier, les transports, le commerce. C'est ça qui peut rapporter le développement et la richesse au pays.

Chérif intervint aussitôt :

— Là, je t'arrête tout de suite. Ce que tu appelles développement, ce n'est pas du développement. Ce n'est même pas de la croissance. C'est, disons, de l'enrichissement personnel. Les petites boutiques, les villas dans les quartiers aisés, les taxis, ce sont des solutions primaires, inefficaces et même dangereuses. Ces maisons sont construites et équipées avec des matériaux et du matériel étrangers... Quand aux boutiques, elles sont remplies de produits d'importation. En plus, ces branches offrent peu d'emplois.

— Oh là là ! Toi et tes théories ! gronda Woro. Ecoute, c'est simple. On devrait dire aux gens du pays : que chacun s'enrichisse le plus possible. Alors là malheur aux fainéants, aux faibles et aux parasites. Ils seront piétinés sans pitié et devront suivre le mouvement général de l'effort personnel. Ou périr. Le paysan est devenu improductif, donc bouche inutile. Ceux qui survivent, qu'ils s'adaptent au modernisme, sinon, tant pis pour eux. La sécheresse est d'ailleurs une bonne occasion pour eux de laisser tomber leurs techniques archaïques.

Simon, qui lisait un livre, prêta attention aux échanges de propos.

— Qu'en penses-tu, Simon Dia, toi qui es journaliste ? demanda Woro.

— Ce que j'en pense ? Il faut d'abord que je te signale que je ne suis pas d'accord avec toi sur la forme, la brutalité de tes propos. Mais il est clair que le paysan ne peut plus s'en tirer sans rationalisation de son travail : la mécanisation, mais par étapes, la sélection des semences, la fumure systématique, le calendrier agricole, et même l'utilisation de la météorologie et sans changer certaines habitudes sociales.

Békaye entra dans la discussion.

— C'est bien cela la solution. Ce que je reproche à notre monde paysan, c'est son attachement maladif au mode de vie qui a été le sien pendant des siècles. Tu sais, Simon Dia, nous vivons avec les paysans ; nous les connaissons. Nous voulons les aider à changer mais nous nous heurtons à la masse inerte des ans et des traditions. Nous sommes peut-être stupides de leur proposer un choix. Mais il semble qu'ils soient bornés de s'en tenir à ce que faisaient leurs pères, leurs aïeux. Depuis des générations, ils ne veulent rien changer de bon gré. Le contexte actuel est très périlleux pour eux. S'ils n'évoluent pas, ils disparaîtront.

— Ce n'est pas facile pour le paysan de changer, plaida Simon. Sa terre, ses traditions, son environnement forment un tout et il ne connaît d'autre horizon que son clan et sa région.

— C'est sûr, rétorqua Békaye, qu'ils risquent de perdre leur identité en changeant. Mais c'est un risque à prendre. De toutes façons, ils acquerront une nouvelle identité en s'adaptant. C'est comme ça que cela s'est passé chez les autres peuples sur d'autres continents. C'est maintenant l'occasion pour le paysan du Sahel d'évoluer. Et cela sur tous les plans. Prenons le régime alimentaire. Il est terriblement pauvre, surtout maintenant. La culture du niébé, ce soja du Sahel, devrait s'imposer et se vulgariser. Elle est indépendante de la pluviométrie et peut donner au moins deux récoltes annuelles. Un système d'irrigation, même rudimentaire, lui suffit. Les paysans chinois ont été sauvés par le soja. Le niébé pourrait sauver nos paysans.

— Elle est bonne, l'idée que tu avances, dit Simon. Et en plus, elle est réalisable à peu de frais. Mais il faut remplir une condition : l'adhésion du paysan. Car ce qui est à éviter, c'est d'imposer des solutions. Par ailleurs, la sécheresse, ce n'est pas seulement le problème de l'alimentation mais aussi celui d'autres domaines comme le reboisement. Il faut reboiser d'urgence pour empêcher la progression du désert et la destruction du tissu végétal. C'est aussi et principalement la recherche et l'exploitation de l'eau... Et...

— Pardon de t'interrompre, coupa Chérif, tu abordes un aspect très important. Je veux parler du reboisement. Ça m'intéresse parce que dans le village où j'enseigne existe un projet de reforestation. Il faut relever les carences incroyables en ce domaine. Comment se fait-il qu'on parle tout le temps de reboisement et que, pendant ce temps, c'est le déboisement qui avance. Les projets sortent avec plus de vitesse que l'argent qui doit leur être consacré. Résultat : il y a peu de nouvelles forêts. Par contre, il y a de moins en moins d'anciennes forêts. Et encore, les nouvelles forêts, une fois plantées, sont laissées aux soins des villageois. Des hectares et des hectares à arroser, à entretenir, à garder.

— Les paysans ne peuvent mener de front leurs cultures et la forêt. Ils n'en auraient pas le temps matériel.

— Tu as raison, Simon Dia, continua Chérif. Mais il n'y a pas que le manque de temps. Arroser avec quelle eau ? Entretenir avec quels moyens ? Garder, contre qui ? Le paysan lui-même possède un reste de bétail qu'il faut préserver à tout prix et les jeunes arbres constituent souvent l'unique fourrage disponible. Ces forêts sont vouées à la disparition dans de telles conditions. Pourtant il suffirait, je crois, de faire preuve d'initiative, d'oser appliquer certaines idées pour assurer le succès des opérations de reboisement. Par exemple les prisons regorgent de pauvres types écroués pour avoir volé des bricoles. Voilà des bras qui peuvent servir. Qu'on les intéresse d'une façon ou d'une autre. Ces gens auront ainsi l'occasion de se reformer par un travail utile qu'ils pourront continuer comme salariés à leur libération. Beaucoup d'entre eux sont venus à la délinquance à cause de l'exode rural et de son corollaire, le chômage.

D'avoir tant parlé avec tant de conviction, Chérif se sentit la gorge sèche. Il prit le bidon d'eau enveloppé de tissu mouillé pour le tenir au frais. Il but quelques gorgées et en versa par mégarde quelques gouttes sur sa chemise. Ce qui attira le regard de ses voisins et fit dire à Békaye :

— Planter, planter ! C'est bien beau les idées de reboisement, mais et l'eau ? C'est le problème crucial : où trouver de l'eau ?

— Mais l'eau il y en a dans les nuages, il y en a sous nos pieds. Une immense mer d'eau douce stagne sous le Sahel depuis le Cap-Vert jusqu'au lac Tchad et au-delà.

Woro, qui venait de parler, était tout fier de faire étalage de ses connaissances en hydrologie. Comme ses deux ·camarades ne semblaient pas croire une telle affirmation, Simon confirma :

-— C'est exact qu'une vaste nappe d'eau fossile existe à quelques dizaines de mètres de la surface du sol. Mais la question est : comment l'atteindre ?

Il se tourna vers Chérif qui s'apprêtait à intervenir.

— On pourrait faire des forages, lança celui-ci. Mais surtout qu'on ne les confie pas à des sociétés étatiques. En tout cas pas celles qui existent dans les formes actuelles. La plupart se sont signalées par la gabegie et n'ont pas creusé un puits qui mérite ce nom. Que des coopératives de paysans s'en chargent. C'est à mon avis la seule condition de réussite. C'est quand même ahurissant le peu d'importance accordée à l'hydraulique. Le service de l'hydraulique est tout juste un service-croupion alors qu'il faudrait en faire un ministère à part entière. D'ailleurs, j'estime qu'il devrait y avoir un super-ministère de la sécheresse, et je ne ris pas. Il y a bien des ministères de la guerre dans les pays en guerre, des ministères du pétrole, du reboisement, et même des ministères des barrages. Alors pourquoi pas un ministère de la sécheresse ? Pour faire face à un problème aussi colossal, il faudrait des services sérieux, je veux dire sérieux par la taille et les buts fixés. Contre toute logique, le ministère de l'Agriculture, qui devrait être un super-ministère, demeure un département secondaire au détriment de l'armée, de la police et des affaires étrangères. On lui consacre moins de 10 % du budget. Il serait intéressant de savoir précisément quel pourcentage de ce même budget est alloué au ministère des Affaires étrangères, ministère de prestige. Les fonds sont vite débloqués pour les bureaux et les domiciles des politiciens. Mais pour résoudre le problème de la sécheresse, on compte sur les aides et l'argent envoyés de l'étranger...

— C'est beau, ton discours, ironisa Woro, mais l'eau n'est toujours pas montée de la nappe.

— Mais je l'ai déjà dit, protesta Chérif : il faut faire des forages. Que des derricks poussent partout comme dans les champs de pétrole. Que l'Etat intervienne uniquement dans l'équipement et la réglementation. Et on verra le nombre de récoltes annuelles, le cheptel qui va s'accroître, l'exode rural qui va diminuer. Et puis c'est vrai, il y a l'armée. Nous avons des soldats désœuvrés qui passent leur temps à faire la politique à la place des politiciens. Avec son équipement du génie qui se rouille, elle peut très bien contribuer aux forages et à l'irrigation. J'ai même lu quelque part qu'avec des bombes de forte puissance, qu'on ferait exploser sous terre, il est possible de créer des lacs artificiels en plein désert !

— Non mais tu charries ! Et pourquoi pas la bombe atomique pendant que tu y es !

La répartie fit rire le petit groupe aux éclats. Bientôt la discussion glissa et l'on parla d'autre chose.

Simon se détacha en esprit de ses voisins en se demandant si l'archer avait encore frappé dans la capitale.

122

15

Bango Besso était obèse jusqu'à la caricature. Rien que des masses, des graisses, des boules. La tête : une boule posée directement sur le tronc. Le nombre de mentons était tel que c'en devenait des fanons. Sur la nuque, des traversins de graisse avaient occupé les replis de la peau. Le tronc était une masse ronde comportant une bedaine bien replète et parfaitement circulaire... L'ensemble brillait, frémissait ou tremblottait au moindre mouvement et à la moindre lumière. Bango Besso appliquait à son régime alimentaire un principe simple : ce qui est censé être sucré doit l'être suffisamment ; ce qui est gras doit être vraiment gras. Dans la pratique, cela donnait du riz au gras bien gras jusqu'à nager dans l'huile ; des morceaux de viande taillés dans les parties les plus graisseuses. Cela donnait aussi des pâtisseries et des glaces sucrées à l'excès. Et chaque jour Besso s'empiffrait de gras et de sucreries. Le diabète s'installa, le cœur se surchargea de graisse ; le sang, trop riche en lipides, était voué aux caillots. Son médecin l'avait sévèrement mis en garde et lui avait prescrit un régime sans sucre et sans graisse dont il ne tint pas compte. Il y avait à peine deux mois que le médecin lui avait signalé qu'il pouvait mourir d'une embolie et ceci sans avertissement. Mais Bango Besso ne pouvait comprendre qu'on puisse s'interdire de bien manger tant qu'on en avait les moyens. Pour lui qui avait vécu longtemps la pauvreté et la malnutrition, le sucre et les corps gras étaient l'apanage des nantis. « Les broussards, se disait-il en parlant des ruraux, prennent leur bouillie de gruau sans sucre tant cette denrée tient du luxe. Leur menu quotidien ne comporte pratiquement pas de graisse, ils s'en plaignent et envient les riches qui mangent du riz au gras et des viandes grasses. Lui, Bango Besso, était riche ; il en avait fini avec la pauvreté. Il était du bon lot, celui des nantis et il fallait le montrer. Et d'abord par l'apparence physique qui devait dénoter une alimentation surabondante. »

De fait, Besso pouvait se prévaloir de revenus confortables. Le tiers des gargotes de la ville lui appartenait en totalité ou en association. Il possédait en outre plusieurs *dibiteries* où l'on vendait de la viande grillée à longueur de journée. L'état sanitaire de ces établissements était déplorable mais les bénéfices qu'ils rapportaient rendraient jaloux plus d'un magnat de l'import-export de Kionda.

L'inspecteur Sarré se présenta à Besso et lui fit comprendre qu'il était certainement menacé de mort par l'archer. Quand il lui proposa la protection de la police, le gargotier piqua une colère si violente qu'elle faillit déboucher sur l'apoplexie prédite par le docteur. Ses bajoues crachotèrent un flot de propos rageurs :

— Je ne veux pas de flics dans mes affaires ! Tous des racketteurs ! Je n'en ai rien à foutre. Je suis mieux protégé que par tous les policiers du pays !

Il retroussa vivement la manche de son ample boubou aux dessins criards et montra une rangée impressionnante de gris-gris au bras.

— Voyez-vous ça ! Ça, c'est ma protection, mon bouclier, permanent et efficace ! (Et portant le doigt sur chaque amulette :) Celui-ci me protège des sorts maléfiques, celui-ci des accidents, cet autre m'apporte la chance dans les affaires, ça c'est contre la foudre et ça, ah-ah, c'est contre les armes blanches. Je suis invulnérable, intouchable. Alors l'archer, je l'attends !

Sarré essuya de son visage le flot de postillons qu'il avait reçu pendant que l'autre vociférait. Il se leva.

— Monsieur Besso, c'est notre devoir de vous protéger et nous vous protégerons. Même contre votre gré.

Après un bref salut, il s'éclipsa.

A dire vrai, Bango Besso avait la trouille, une trouille paniquante. L'archer lui en voulait, il en était sûr. Mais il ne voulait à aucun prix de la police dans ses affaires dont le fumet était identique à celui de ses gargotes à l'hygiène douteuse. Ses magouilles, ses fraudes, ses méthodes pour se tailler un monopole, parfois au prix du sang, pouvaient lui valoir la prison. Et la prison signifierait la ruine, le retour à la pauvreté, aux jours sans sucre, sans viande, sans gras. Pas question. L'archer voulait s'en prendre à lui ? Eh bien, c'était lui qui allait s'occuper de l'archer et pas plus tard que tout à l'heure.

— Il ferma le local qui lui servait à la fois de bureau et d'entrepôt de produits pour ses gargotes. Il prit sa voiture, une 9 CV jaune qui s'engagea dans la circulation. Il était 16 heures. Il calcula mentalement qu'il lui faudrait vingt minutes pour arriver chez Boli Mansa, sorcier tout-puissant. Il compta dix minutes supplémentaires car il lui fallait semer la voiture de police qu'il voyait distinctement dans le rétroviseur. Il suffisait de griller un feu ou un sens interdit. Besso bifurqua donc brusquement dans une voie à sens unique, remonta le flot de voitures qui suivaient le sens autorisé et dut pour cela mordre sur le trottoir dégagé en raison du stationnement alterné. Deux intersections plus loin, il prenait une grande artère à circulation fluide qui le mena vers la sortie de la ville. Et une fois sur l'autoroute, il écrasa le champignon. « Je les ai eus, je les ai eus », jubilait-il en tressautant de toutes ses graisses dans un rire sonore.

Quelques arbustes. Vestiges d'une brousse qui n'allait pas tarder à être lotie et envahie de constructions. Dans deux ou trois ans, Kionda se trouverait agrandie d'un nouveau quartier périphérique surgi de ces lieux désolés.

La cabane de Boli Mansa se tenait à l'écart de toute autre habitation. Le féticheur y vivait seul et ses clients venaient le consulter pendant les six mois de saison sèche. En période d'hivernage, il rentrait au village cultiver la terre. Il s'était fait une solide réputation d'envoûteur et de désenvoûteur. On venait le voir pour ensorceler un adversaire politique, un rival en amour ou en affaires. Il procurait également des gris-gris contre les mauvais sortilèges lancés par un ennemi.

Besso gara sa voiture au milieu d'un sentier caillouteux et fit les derniers mètres à pied. « L'archer n'a plus longtemps à vivre » dit-il.

Niéga était une vieille femme qui voulait porter gaillardement sa vieillesse. Malgré ses quatre-vingt-deux ans, ses membres décharnés, elle tenait debout sans canne. Elle sortait chaque jour ramasser des plantes médicinales. C'était sa promenade de santé. Au cours de ces sorties, elle rendait visite parfois à Boli Mansa et ils parlaient pharmacopée et toxicologie, et échangeaient recettes et formules. Niéga, qui était guérisseuse, acquérait ainsi les dernières connaissances de son métier, tandis qu'elle transmettait à un plus jeune son immense bagage de médications thérapeutiques.

En quittant la cabane de son collègue, la vieille rencontra un gros bonhomme qui visiblement se rendait chez le féticheur. Elle s'arrêta pour le regarder venir et quand il arriva à sa hauteur, elle lui dit de sa voix chevrotante :

— Hé, fiston, je vois dans tes yeux que ton foie te donne des soucis. Ton essoufflement sur un si petit trajet indique aussi que ton cœur est fatigué. Dis à Mansa de te prescrire de ma part les plantes suivantes...

— Passe ton chemin, vieille chose, j'ai à faire !

Elle nota qu'il puisait dans un cornet de papier quelque chose qui semblait bon à manger et qu'il croquait bruyamment.

— Donne-moi un peu de tes bonbons. Ces douceurs feront du bien à mes vieux os.

— Tiens, prends, fit-il méprisant en lui jetant quelques éclats de bonbons. Je donne, moi. Je donne toujours au peuple. Remercie-moi pour ma générosité.

L'archer était là, à deux mètres à peine de Besso.

Tapi derrière un rocher, il avait tout vu. Il avait vu Bango Besso, repu, bedonnant et reluisant, jeter des restes de nourriture sur des affamés assis en groupe et qui n'avaient aucune force, pas même celle de lever le bras pour saisir ce qu'on leur jetait avec dédain. Et Besso qui les pressait de le remercier pour tout ce qu'il faisait pour eux.

C'en était trop. De sa cachette, il bondit au milieu du sentier. Besso le vit. Sa stupeur fut foudroyante. Le cœur obstrué de graisse du gargotier ne put supporter le choc et flancha. Besso tourna de l'œil et s'affaissa d'une masse, déjà mort... La flèche l'atteignit quand même. A son foie malade.

Le spectacle de l'archer jaillissant, et celui de Besso rendant subitement l'âme, secouèrent la vieille Niéga qui se mit à crier en courant d'un pas mal assuré vers la case de Boli Mansa...

∴

Boli Mansa douta à haute voix de ses pouvoirs. Lui, Boli Mansa, le tout-puissant féticheur, voilà qu'on l'arrêtait comme un vulgaire voleur à l'étalage ! C'est lui, que des personnalités venaient voir, qu'on interrogeait ainsi sans ménagement ! L'inspecteur Cossé, qui se trouvait encore au commissariat du neuvième secteur, retrouva toute sa hargne pour faire avouer le suspect. La fouille de la cabane de Mansa avait mis à jour une grande quantité d'arcs et de flèches. Et aujourd'hui, pas un de ses clients influents ne se présentait pour le tirer de ce qu'il considérait comme une plaisanterie. S'il était suspect, c'est qu'il y avait une possibilité que ce fut lui le coupable. Des clients se félicitèrent même de ne pas être allés le voir cette semaine. Ils auraient pu compter au nombre des victimes.

— Petit père, tu vas gentiment tout nous dire, sinon je vais être méchant.

Cossé accentua sa menace d'un rictus.

— Je t'ai déjà dit que je me servais de ces flèches pour chasser le démon. D'ailleurs les pointes sont en bois. Tu as dans ma case des statuettes d'argile. Certaines représentent le démon. Je tire dessus avec ces flèches pour éloigner les maléfices.

— On ne peut pas dire que cela t'ait réussi à toi-même puisque tu es dans nos filets. Nous avons remarqué des flèches à pointe de fer et si tu passes là-dessus, c'est que tu as quelque chose à cacher.

— Pas du tout. Il y a juste trois flèches à pointe de métal et je m'en sers pour tirer le lièvre.

— Lièvre qui a nom Bango Besso ou Sérigne Ladji. Raconte-nous tout depuis le début. Pour commencer, comment as-tu fait pour Sérigne Ladji ?

— Je n'ai rien fait du tout. Je ne connais pas cet homme.

Cossé envoya la première gifle, magistrale.

Le féticheur le regarda, totalement éberlué.

— Me frapper, moi, Boli Mansa ? Tu veux donc mourir ?

— Je suis sur la bonne voie, ricana Cossé. S'il me menace de mort pour une gifle de rien du tout, c'est qu'il en a gros sur la conscience. Alors, tu accouches ?

Le sorcier resta coi et fixa le policier.

— Tu vas parler, oui ?

Cossé leva de nouveau la main et l'abattit. Boli Mansa s'en empara au vol, la tordit dans une prise sans parade. Le policier fut obligé de lui tourner le dos et le féticheur lui flanqua alors une gifle qui claqua dans tout le bâtiment. La taloche envoya Cossé cogner violemment contre le mur. Le policier se releva, surpris et affolé et se mit à crier :

— Koloba ! Koloba ! Viens vite !

Il gémissait à présent en se tenant l'oreille endolorie. Koloba entendit l'appel mais ne bougea pas.

— Laisse-le se débrouiller tout seul, dit-il à un brigadier qui voulait intervenir...

La vieille Niéga fut alitée dès son retour à la maison. Une forte fièvre la faisait délirer. La scène de l'archer bandant son arc l'avait fait revenir des décennies en arrière au temps des affrontements inter-tribaux. Elle délira toute la nuit et le jour suivant. Tout ce que l'on put en retenir c'est que l'archer ressemblait à son défunt mari du temps où il était jeune guerrier. Quand enfin elle se calma, elle ne se rappelait strictement de rien. Pas même de son nom.

La « Voix » accorda à Mbaye un sursis de quarante-huit heures.

16

A peine descendu du train à la gare de Kénédou, Simon fut abordé par un garçonnet de huit ou neuf ans qui lui prit la main.

— Hé, Tonton, une photo pour moi ?

— Tu n'y penses pas, petit. Je ne suis pas d'ici et je repartirai chez moi. Tu ne verras donc jamais ta photo.

Simon décrocha l'appareil photo qu'il portait en bandoulière et le mit dans son sac.

— Alors tu me l'enverras de Kionda, insista l'enfant.

Le journaliste était un peu agacé. Il était préoccupé par son acheminement sur Oniateh. Et puis des photos d'enfants, il en avait pris des dizaines et ce garçonnet ne sortait pas de l'ordinaire. En outre, s'il prenait une photo, il viendrait une nuée d'autres enfants pour exiger leur pause. Et les pellicules qu'il avait apportées devaient servir en priorité à saisir la sécheresse dans tous ses aspects. Pour en finir avec l'enfant, il affirma :

— D'ailleurs, j'ai oublié de te dire une chose, c'est qu'il n'y a pas de pellicule dans l'appareil.

— Je ne te crois pas. Tu dis ça pour ne pas prendre de photos.

Simon se fit convaincant :

— Pourtant je te dis la vérité.

— Alors c'est facile à vérifier. Ouvre l'appareil. Tu le feras bien s'il est vide.

Simon regarda le bout d'homme avec plus d'attention.

— Ça va, tu as gagné, mon petit gars. Mets-toi de ce côté.

— Il faudra prendre une vraie photo, exigea l'enfant, sinon je saurai que tu as essayé de m'avoir.

Simon appuya effectivement sur le déclencheur, ce que l'enfant accueillit avec un grand rire.

— J'espère que je serai beau là-dessus. Je donnerai la photo à ma mère.

Simon se dérida face à tant de spontanéité.

— Eh, petit, je dois aller à Oniateh. Tu sais où trouver une auto qui y va ?

— Les autos ne vont pas à Oniateh, à moins de passer par Kameh et de faire le reste du trajet à pied. Les pistes qui vont directement à Oniateh sont trop dures. Aucune mécanique n'y tiendrait.

Le journaliste tourna la tête et vit que celui qui venait de parler était un charretier d'une trentaine d'années, accroupi près de sa charette. Il donnait à manger à son âne des cartons d'emballage qu'il déchirait en morceaux et offrait à la bête.

Le visiteur venu de la ville ne put taire sa stupéfaction.

— Mais c'est du carton que tu donnes à cet animal ?

— Et quoi d'autre lui donner en ces temps de sécheresse totale ? Vous êtes marrants, vous, de Kionda. Ici les humains n'ont pas de quoi manger et vous voudriez que les bêtes mangent comme dans un pâturage. Le prix de la paille est si exhorbitant que c'est une folie d'entretenir un animal. Je gagne trop peu pour lui acheter du fourrage tous les jours.

— Mais, s'écria Simon, à ce rythme, la pauvre bête peut s'enfuir pour ne pas crever de faim.

— C'est déjà fait. Il a une fois réussi à casser ses entraves et il a couru la brousse à la recherche de nourriture. En brousse maintenant, il n'y a rien, rien. Pas un brin d'herbe. Et l'âne n'est pas la chèvre pour grimper sur les arbres encore feuillus. Alors, au bout de deux jours de fugue, il est retourné de lui-même, plus affamé qu'avant. Il s'est jeté sur le carton avec un appétit, il fallait voir ça. (Le charretier rit un peu de la mésaventure de son âne.) Ne vous en faites pas, ce carton est fait avec de la paille, je pense que vous le savez. C'est de la paille concassée. Les manguiers vont bientôt donner des fruits. Les bêtes pourront profiter des pelures, des noyaux et des fruits avariés. En attendant la saison des pluies dont on ne sait pas ce qu'elle sera.

Devant tant de détresse, Simon décida de faire quelque chose. Il plongea la main dans la poche de son sac de voyage et en retira un quignon de pain rassis qu'il offrit à l'âne. L'animal arracha le pain, le mastiqua si vite qu'il faillit s'étouffer. Simon puisa un morceau plus gros mais l'ânier protesta.

— Que faites-vous là ? hurla-t-il. Vous allez lui donner des idées !

Il s'empara du pain et le porta à la bouche en maugréant.

— Dis-moi, charretier, puisque selon toi, on ne peut se rendre en auto à Oniateh, comment s'y rend-on alors ?

— A pied !

— Dix-sept kilomètres à pied ! Ecoute ! Pourquoi ne m'amènerais-tu pas sur ta charrette ? Je te paierai ta peine.

— Je veux bien, fit l'ânier, mais la pauvre bête ne tiendrais pas le coup. Nous faisons juste les petits parcours et mon âne manque de force par insuffisance de nourriture.

— Dans ce cas, c'est simple. Voilà, je te paie du fourrage pour ton âne et tu m'amènes.

Une telle générosité ne devait rester sous-exploitée. Le charretier hasarda :

— Moi-même je ne mange pas du foin, mais si vous pouvez me payer à manger, je prendrais bien un bon casse-croûte avant de prendre la route...

Le paysage de sécheresse éclatant sous le soleil causait un malaise sur le visiteur. Après les arbres nus du trajet du train, c'était maintenant une savane rachitique et morne. A part le vert sombre des épineux vivaces et le bleu intense et insupportable du ciel, la sécheresse avait uniformisé les couleurs des choses en brun. Des ossements d'animaux, recouverts de poussière ocre, jonchaient le sol par intermittence. Pas une bête en circulation. Les beaux troupeaux qui transhumaient jadis avaient disparu, décimés. Seuls des charognards planaient dans une sarabande de fête. Ou, juchés sur des arbres morts, ils digéraient, l'œil sinistre, un reste de cadavre. Leur silhouette inquiétante se découpait dans la lumière violente du jour.

A l'approche d'un village, quelques chèvres alertes grimpaient aux arbustes et se repaissaient des rares feuilles persistantes. C'étaient les seuls parmi les animaux aussi bien domestiques et sauvages que Simon vit. Au spectacle des chèvres dévorant les dernières traces de verdure, le journaliste se posa la question : quel est le plus important ? l'arbre ou la bête ? L'arbre, bien sûr, se répondit-il à lui-même. C'est le seul garant contre la désertification totale qui, elle, ne laisserait rien, ni plante ni bête. La déforestation n'est pas le seul fait des débrouissailleurs, des charbonniers, des braconniers et des incendies involontaires. Les chèvres y ont une grande part. Un troupeau moyen de chèvres est capable de mettre à mal plusieurs arbres dans une seule journée. Qu'en pensaient les paysans ?

— Mais, enfin, fit Simon en montrant les chèvres, les paysans devraient se débarrasser de ces bêtes. Elles sont nuisibles autant que les feux de brousse. En outre elles n'ont aucune valeur commerciale.

— Au contraire, rétorqua le charretier. En des temps pareils, on ne devrait élever que des chèvres. Ce sont les seuls animaux domestiques à pouvoir se nourrir sans aide humaine, donc les seuls à pouvoir se débrouiller pendant que l'homme lui-même est occupé à chercher sa pitance. Vous pouvez constater vous-même que pendant que bœufs et moutons périssent par dizaines, les chèvres tiennent bon. Bien sûr, elles grimpent aux arbres et leur enlèvent ce qui leur reste de feuilles et d'écorce, les condamnant ainsi à une mort certaine, inéluctable de toutes façons. Mais vous, les gens de la ville, vous ne pouvez savoir ce que la chèvre représente pour nous. C'est l'animal des offrandes aux divinités. C'est la monnaie des transactions lors des cessions de champs, des mariages et des réparations d'offenses telles que adultère, vol, viol, insulte... La fête, quelle qu'elle soit, est inimaginable sans le cabri. C'est en outre un cadeau apprécié. Par ailleurs la chèvre est chargée de symboles en raison de sa sobriété, de sa résistance, de sa prolixité, de sa ruse et de son courage, toutes qualités qu'on souhaiterait rencontrer chez les humains. Vraiment irremplaçable, la chèvre.

— Est-ce que tu te rends compte que la chèvre va détruire ce qu'il reste d'arbres et qu'elle va ainsi aggraver la sécheresse ?

L'ânier continua sur le ton de la conviction inébranlable :

— Nous les paysans, nous voyons les choses d'une autre manière. Nous faisons confiance aux forces qui sont dans la nature et la régissent, nous faisons confiance aux esprits qui nous entourent et nous prenons comme référence le passé. Nous avons déjà traversé tout au long des siècles nombre de calamités, naturelles ou non, et de disettes. Et chaque fois nous avons survécu, après avoir payé certes de lourds tributs. La sécheresse actuelle n'est pas de notre faute, ni de celle de la chèvre. Nous ne pouvons nous séparer de la chèvre. C'est un élément trop important de notre vie et de nos rites.

— Mais s'il n'y a plus d'arbres, il n'y aura plus de pluies, plus de cultures, donc plus de villages, plus de vie.

Pour Simon c'était l'évidence même, mais son interlocuteur ne l'entendait pas ainsi.

— S'il fallait exterminer les chèvres pour sauver les arbres, cela reviendrait au même résultat. Pour nous, sans la chèvre, il n'y a plus de vie sociale et culturelle, plus de vie tout court car nous ne serons plus nous-mêmes.

« Il est persuadé d'avoir raison, se dit Simon. De toute façon ce n'est pas à moi ni à quelqu'un d'autre de penser et de décider pour eux. Et surtout de leur imposer ces décisions. Seules la concertation et l'explication de longue haleine peuvent faire évoluer les mentalités. »

Cela faisait deux heures que le petit véhicule à deux roues avançait sous la chaleur torride et depuis longtemps l'inconfort de la banquette se faisait sentir. Simon essuya pour la énième fois son visage maculé de sueur et de poussière et étala le mouchoir sur sa tête.

Les villages traversés étaient mornes sous la torpeur. Le regard habituellement serein du paysan avait disparu. On lisait l'anxiété ou le désespoir muet sur des visages hâves, prolongements de corps qui n'avaient plus la prestance d'autrefois. On ne criait pas, on ne se laissait pas aller à la panique, ni à une révolte ouverte. Souffrir en silence, dans la dignité. Solidarité nationale ? Quel sens ces mots pouvaient-ils avoir pour eux ? Ici n'arrivaient que les miettes de la répartition. De la capitale à ces coins perdus, l'acheminement des vivres connaissait des prélèvements à chaque étape administrative et ces mêmes vivres, gratuits et destinés aux paysans ruinés, se retrouvaient sur les marchés, noirs ou non. Ces aides, que les paysans jugent nettement insuffisantes, et pour cause, et mal réparties entre les régions et les ethnies, faisaient l'objet d'un grand tapage à la radio nationale. Tapage à la gloire des autorités « qui pensent en priorité au monde rural ». Et ce monde rural gardait son calme, disait merci pour le moindre sac de céréales offert au nom du gouvernement, et, stoïque depuis des siècles, attendait la prochaine saison des pluies, en demandant la clémence des Divinités de la pluie par des prières et des sacrifices propitiatoires.

Le sentier se faisait de plus en plus étroit. Le charretier avait, dès la sortie de Kénédou, évité la route régionale et pris un raccourci. Ils arrivèrent à une sorte de petit carrefour où se croisaient trois pistes. L'ânier descendit, offrit de la paille et de l'eau à son âne qui avait trottiné durant pratiquement la moitié du trajet, et chercha à s'orienter.

— C'est que cela fait un bout de temps que je ne suis pas passé par là, expliqua-t-il, visiblement indécis.

Avisant un tas de crottes sur le bord d'un des sentiers, il revint vers la charrette.

— C'est par là, dit-il en désignant du doigt une des pistes. Il y a là une traînée de crottes de cheval, ancienne il est vrai. Or dans ces parages, Oniateh est le seul village à ma connaissance à posséder un cheval.

Effectivement, il ne fallut pas longtemps avant de déboucher sur une petite agglomération.

— C'est ça Oniateh ? Simon cria presque sous le coup de l'ébahissement.

Il n'y avait là que ruines. Aucune case ne portait ne serait-ce qu'un reste de chaume. Quelques charpentes de bambous, à moitié effondrées, tenaient encore. Pas un être humain. Des margouillats grimpaient précipitamment le long des murs décrépis à l'approche des arrivants. Pas un bruit. Simon entra dans ce qu'il restait de la première case. Des calebasses fêlées et des tessons de canaris jonchaient le sol. Un bref craquement lui fit lever les yeux. Les tiges de bambous de la charpente ployaient un peu plus. Il reçut des poussières dans les yeux. Le jeune homme ressortit, une main sur l'œil et l'autre montrant d'un geste incrédule la désolation des lieux.

— C'est ça Oniateh ? Il avait l'impression d'avoir été roulé.

— Et pourtant c'est bien ici Oniateh, répondit l'homme, tout aussi sincèrement étonné. Il n'y a pas d'erreur. Le village est situé entre un tamarinier et une rivière. Voici le tamarinier (il indiqua un squelette d'arbre à l'entrée du village), la rivière est plus loin en avant. Elle doit être à sec mais c'est facile à vérifier. Et voici le piquet du cheval du chef Tendi, juste sous le figuier sauvage.

— Si c'est Oniateh, insinua le journaliste, comment se fait-il qu'il n'y ait personne ? Où sont les habitants ?

— Je n'en sais rien, protesta l'ânier, tentant de se disculper d'une accusation de tromperie. Les villages changent parfois d'emplacement et ceci pour diverses raisons. Les épidémies, les calamités, les conflits au sein du clan. Mais je ne sais pas pourquoi ceux d'Oniateh ont quitté le village.

L'homme commençait à s'inquiéter. Et si son client, mécontent, refusait de payer ?

— Il faut que j'en ai le cœur net, alors seulement je te paierai ce que je dois. Y a-t-il dans les environs un village où je pourrais voir un instituteur ou un employé de l'administration ? Du même coup j'aurai des renseignements précis sur Oniateh.

— Il y a Kameh, dit le charretier, qu'on peut atteindre en longeant la rivière. C'est un gros village.

— Eh bien, conduis-moi à Kameh.

Le soleil n'était qu'un disque rougeoyant à l'ouest quand ils arrivèrent à Kameh. Le charretier déposa son client devant un bâtiment rectangulaire de briques recouvert de chaume qu'il désigna comme étant l'école. Un peu plus loin, une maison et dans la cour de cette maison un feu de bois sur lequel cuisait une marmite. C'était là qu'habitait l'instituteur. Celui-ci, la trentaine un peu sèche, se détendait dans un hamac et écoutait une radio posée à même le sol. Il se releva à l'approche des deux étrangers et baissa le volume de son transistor.

Les salutations et les présentations faites, Simon posa la question sur Oniateh.

— Il n'y a plus personne à Oniateh. C'est un village abandonné, dit l'enseignant qui indiqua brièvement l'ancien emplacement du hameau.

Le charretier ne comprenait pas le français dont les deux intellectuels se servaient pour communiquer, mais il sentait qu'on lui donnait raison. Il sourit largement pour lui-même.

Simon était perplexe. L'archer venait d'Oniateh et les habitants d'Oniateh avaient abandonné le village. Un mystère de plus.

— Savez-vous ce qu'ils sont devenus ?

L'instituteur qui attendait cette question, fit asseoir Simon, demanda à un de ses enfants de faire venir du jus de tamarin et après qu'ils se furent désaltérés, répondit.

— Les villageois d'Oniateh sont de l'autre côté.

— De l'autre côté ? Vous ne voulez pas, j'espère, parler de l'au-delà ?

L'instituteur rit un peu.

— Non. De l'autre côté, ici, cela veut dire sur l'autre rive de la rivière ; et la rivière constitue la frontière. Autrement dit, ils sont dans le pays voisin. Vous savez, on est tous cousins par ici. Nous ignorons la frontière et de fait les populations riveraines n'en tiennent pas compte pour célébrer les cérémonies rituelles et familiales qui réunissent les clans de part et d'autre.

C'était là deux éléments que Simon était loin de prévoir : la désertion du village et surtout le passage de la frontière. Ces difficultés imprévues ne le décourageaient nullement et il raffermit sa détermination d'aller jusqu'au bout.

— Savez-vous pourquoi les villageois ont quitté Oniateh ?

— Les Bassari sont ici partout chez eux. Les gens changent leur village de site comme ils l'entendent. Il est vrai que les migrations massives anarchiques se font rares d'un pays à l'autre depuis les indépendances et l'institution de visas. Honnêtement, je ne connais pas la raison du départ des villageois d'Oniateh. En partant ils nous ont donné une explication qui est tout à fait logique ces temps-ci. Mais les raisons s'emmêlent parfois pour pousser un village à se déplacer. Et la raison qu'ils donnent n'est pas forcément la plus importante.

— Que vous ont dit vos cousins d'Oniateh ?

— Qu'ils espéraient recevoir une meilleure aide alimentaire de l'autre côté. Certains villages l'ont fait avant et après eux, mais on sait que la situation est la même des deux côtés. C'est vrai qu'ils ont dû recevoir une dotation substantielle lors de leur installation. Mais la condition première pour la recevoir est de changer leurs cartes nationales d'identité, leurs carnets de famille, etc. La même chose se fait dans l'autre sens. Après cette première distribution de vivres et l'acquisition de nouvelles cartes d'identité, ils se retrouvent au régime commun ; mais entre-temps, ils auront donné aux autorités l'occasion de gonfler les chiffres de la répartition des céréales et de manipuler les statistiques démographiques locales dans la perspective toujours possible de litiges frontaliers. Ce sont donc des opérations publicitaires qui n'ont absolument aucune suite. Oniateh a beaucoup souffert de la sécheresse, beaucoup plus que les autres villages. Il est donc possible qu'il se soit déplacé et ait émigré parce que c'était la dernière solution.

Simon réfléchit un moment.

— Il faut que j'aille à Oniateh. Oniateh nouveau, bien sûr. Dites-moi, comment faire pour y aller le plus rapidement ? Il n'est pas question que je prenne un visa. Il me faudrait pour cela sans doute retourner à Kénédou et attendre plusieurs jours le bon vouloir des petits commis de l'administration. Et puis c'est dans des cas comme celui-ci qu'on voit mieux l'absurdité de ces visas entre pays voisins.

L'enseignant prit le ton de la complicité.

— Nous pensons tous comme vous. C'est aberrant ces histoires de visa pour aller dire bonjour à un oncle à deux cents mètres ou assister au mariage d'un cousin. Nous allons régler ça. Je vous confierai à un de mes élèves qui vous servira de guide jusqu'à Oniateh-nouveau. Ils connaissent tous bien les parages.

— Je voudrais y aller tout de suite, dit Simon regonflé d'entrain.

— C'est risqué d'y aller maintenant, déclara le maître d'école. Attendons la nuit. Les douaniers font la chasse aux trafiquants d'articles de commerce. La nuit ils se cantonnent à la surveillance de passages fréquentés. Il s'agit tout simplement d'éviter ces endroits. En attendant, vous allez vous laver et manger. Quant au charretier je l'enverrai dans une famille du village pour passer la nuit.

Tout à ses préoccupations professionnelles, Simon avait oublié son compagnon de route. Il lui compta quelques billets. L'ânier lui serra longuement la main avec force remerciements...

Le clair de lune aidant, la traversée du lit sec de la rivière fut aisée. Le petit guide évitait avec soin les marmites de géants, vastes crevasses faites dans la roche par le tourbillonnement des eaux. Maintenant que le cours d'eau était à sec, elles ouvraient leurs gueules sombres. En raison des précautions pour éviter les embûches du lit de la rivière et des rencontres désagréables avec les douaniers, la traversée des deux cents mètres prit une trentaine de minutes. Puis ce fut la marche le long de la rive jusqu'à la hauteur de l'ancien Oniateh. Puis de là, Simon et l'enfant s'enfoncèrent dans la brousse. Il était 21 heures quand ils arrivèrent au nouveau village d'immigrants.

Quelques hommes causaient encore dans la grande case du chef. Le reste du village semblait endormi. Mais on percevait des éclats de voix en passant devant certaines cases. Ici, on se couchait tôt.

Dans la case du chef, tous les visages se tournèrent pour dévisager l'étranger. A son attitude, on comprit vite que c'était un citadin de la capitale. On s'intéressa, toujours du regard, au petit guide. Celui-ci alla directement au vieux Tendi avec assurance, comme il l'aurait fait avec son grand-père. Il n'avait pas besoin de se présenter, tous l'ayant reconnu, mais il s'expliqua sur sa mission. Quand il eut fini, Tendi offrit une place à Simon à ses côtés sur la peau de bœuf qui lui servait de tapis. L'élève de Kameh fut alors récupéré par les enfants de son âge, surgis on ne sait d'où, qui le conduisirent à une des cases en le pressant de questions.

Simon salua en serrant la main à tous et en prenant soin de ne pas renverser l'unique lampe à huile. Ils étaient une dizaine. Tous avaient dépassé la cinquantaine.

Le jeune homme ouvrit son sac et en sortit une cartouche de sucre de 5 kg, un gros sachet de sel et une tabatière en peau de buffle qui contenait 2 kg de tabac en poudre. Il déposa les produits au fur et à mesure aux pieds du chef, un petit vieux aux poils blancs mais aux gestes encore énergiques.

— Je suis un petit-fils du vieux Sambou, le Diou-la (1).

Simon se présentait ainsi, mais en réalité, ces liens de parenté, que tous deux prenaient au sérieux, étaient nés de l'amitié qui le liait à l'ancien colporteur en retraite.

— Recevez les cadeaux que vous envoie votre frère et ami, le vieux Sambou, qui vous prie en même temps de l'excuser pour leur taille si modeste.

— Ce sont de grands cadeaux, d'inestimables cadeaux, protesta poliment le récipiendaire, en couvrant les produits de son regard. Que Sambou ne nous ait pas oubliés me remplit de joie.

La conversation se déroulait en mandingue, seconde langue de nombre d'ethnies de la région.

Tendi ouvrit la tabatière, en huma le contenu et arbora un sourire satisfait. Avec le pouce et l'index, il porta une pincée de tabac à son nez et renifla. Puis éternua fortement par deux fois.

— Mes aïeux, jura-t-il, la mine épanouie. (Il était comme revigoré par cette prise de tabac.) Ce filou de Sambou fait encore le meilleur tabac. Quel arôme et quelle force ! Vraiment le meilleur. Je ne lui ai jamais rien refusé après qu'il m'ait offert de son tabac.

Tendi chiqua en s'envoyant une nouvelle pincée sous la langue. Ensuite, il tendit la tabatière à son voisin direct et elle passa de main en main. On y puisa à tour de rôle, qui pour priser, qui pour chiquer. Au bout de quelques minutes, Tendi alla recracher sa chique et reprit la conversation.

— Parle-moi de mon frère Sambou. Comment va-t-il ?

Il posa à Simon une série de questions très précises sur la famille et la vie de Sambou. Unique façon de s'assurer que son interlocuteur connaissait suffisamment Sambou pour se prévaloir de sa famille. Puis il en vint à Simon lui-même et au but de sa mission. Prudent, le journaliste expliqua qu'il venait en ami,

_____

(1) Appellation courante des colporteurs et commerçants mandingues.

qu'il avait choisi Oniateh pour un travail d'enquête dont les résultats devaient servir à mieux aider les sinistrés de la sécheresse. Simon se réservait de parler de l'archer plus tard.

Quand il eut fini de parler, personne ne répondit. Il comprit alors qu'on avait compris. Il sut que tous savaient qu'il n'avait parlé qu'à moitié et ils attendaient la suite. C'était vrai qu'il y avait des milliers de villages frappés durement par la sécheresse. Pourquoi avoir choisi Oniateh alors que le fléau était visible dès la sortie de Kionda ? Et surtout pourquoi avoir pris la peine et le risque de traverser la frontière ? Pour les vieux d'Oniateh, cela ne pouvait être dû au hasard. Pourtant ils ne semblaient pas hostiles. Etait-ce à cause du vieux Sambou ?

— Je viens aussi pour l'archer, mais cela n'a rien à voir avec une action officielle, ajouta brièvement le journaliste.

Le problème franchement posé, il regarda l'assistance. Pas un visage ne remua, pas un œil ne cilla. Personne ne paraissait avoir compris de quoi il parlait. Il prit le parti de patienter. Il aura sa réponse tôt ou tard. Positive ou négative. Comme s'il se rappelait brusquement quelque chose, il tira d'un compartiment de son sac un couteau de chasse neuf, un bonnet de coton brodé et un sachet de noix de kola.

— Voici ce que je t'ai apporté moi-même comme cadeaux, grand-père Tendi.

Il y eut alors un léger mouvement dans l'assistance. Les yeux convergèrent vers les objets. Tous brillaient de convoitise. Chacun se sentait gonflé de virilité et de fierté à l'idée de porter ce couteau de chasse à la ceinture. Pour ces braves gens sans malice, quelqu'un leur apportant un présent rehaussant leur prestige dans le groupe, ne pouvait être qu'un ami. Les objets-cadeaux n'avaient pas d'importance en eux-mêmes, c'est l'esprit et la sympathie qui les accompagnent qui est le plus important. Et puis un couteau de chasse, c'était presque un souhait amical pour le retour des périodes giboyeuses.

— Tu devrais te méfier des colporteurs de ragots.

Cette fois les regards convergèrent vers un coin plongé dans la pénombre d'où était venue la voix, grave et insinuante. Un sexagénaire massif s'y tenait coi malgré la petite fièvre causée par les cadeaux. Il avait employé l'expression mandingue qui signifiait « fouineur et rapporteur de racontars », expression qui désignait les journalistes de façon manifestement péjorative. On se rendit compte alors qu'il n'avait pas eu sa part de tabac et on lui transmit la tabatière. Il la posa tranquillement à ses pieds et répéta à l'adresse du chef :

— Tu devrais, Tendi, te méfier des colporteurs de ragots. Ce sont des menteurs. Ils sont de mauvaise foi. Tout le monde le sait, mais je te le rappelle.

Simon était mal à l'aise et surtout inquiet. Cette attaque contre les journalistes tombait vraiment mal à propos. Il estima qu'il devait prendre la parole pour s'expliquer, hésita sur l'opportunité de la chose et fut soulagé de voir Tendi intervenir pour lui.

— Chique ton tabac, Atumbi l'Ancien, et laisse les journalistes en paix. (Il avait employé en le déformant quelque peu le terme français « journaliste » qui conférait une auréole particulière à la profession.) Ce petit est le rejeton de mon plus que frère Sambou. C'est donc mon enfant aussi. Et si c'est mon enfant, c'est donc le tien. Alors, laisse-le en paix.

— On ne me corrompt pas avec des cadeaux, s'entêta l'homme qui se lança aussitôt dans la diatribe en élevant la voix d'un ton. Qu'est-ce que vous ne dites pas à la radio ? (Il s'adressait à Simon, sûr d'avoir raison et de bénéficier de la complicité des autres.) Qu'est-ce que vous ne dites pas à la radio comme contre-vérités éhontées ? Vous dites que les paysans sont heureux, qu'ils soutiennent le gouvernement sans réserve. Heureux ? Heureux de quoi donc ? Qui vous a dit que nous étions heureux et qu'est-ce qui vous fait croire que nous sommes heureux ? Ça arrange votre gouvernement, n'est-ce pas, que les étrangers entendent dire qu'il est aimé du peuple, qu'il aide le peuple et même se sacrifie pour lui. Au lieu de le faire claironner, qu'il commence par le prouver par des actes concrets !

Simon avait l'impression d'être, à lui seul, le syndicat national des journalistes, la rédaction du journal parlé et le représentant du gouvernement.

Atumbi l'Ancien poursuivit :

— Notre problème, ce n'est pas de soutenir un gouvernement trop éloigné de nous et trop méprisant pour nous ! Si on veut vraiment savoir ce que nous pensons, qu'on nous donne l'occasion de parler nous-mêmes. Le président de la République, pour nous c'est le président de Kionda ! Nous ne le connaissons pas et lui ne nous connaît pas. Qu'il vienne lui-même nous écouter. Nous ne pouvons le considérer comme notre chef quand lui, ses proches et ses amis s'enrichissent pendant que la sécheresse nous tue, nous, nos cultures et nos bêtes.

— Vraiment Atumbi, tes aigreurs d'estomac te rendent odieux. (C'était le voisin direct de Atumbi qui intervenait.) Déjà tes femmes souffrent de tes colères violentes. Et nous, de ta classe d'âge, sommes fatigués par tes sautes d'humeur. Voilà qu'aujourd'hui nous avons un hôte qui n'a même pas encore séché la sueur du voyage et déjà tu t'en prends à lui. Tendi t'a dit que c'était son petit-fils, cela ne te suffit donc pas ?

— Laisse Atumbi parler, aboya quelqu'un. C'est vrai qu'il embête tout le monde, mais aujourd'hui il est dans son droit. Cette affaire concerne tout le village et il est bon qu'il y ait des voix contradictoires. Continue ton propos, Atumbi l'Ancien. Ce que tu dis est vrai de bout en bout.

Simon était effaré. Le vieux chef lui tapota la main pour le calmer et lui communiquer son assurance.

Atumbi l'Ancien reprit donc :

— Nos bêtes meurent de faim. Nous-mêmes, nous mourons de faim et de maladie. On nous dit que nous recevons des aides. Où sont-elles ? En tout cas, si elles nous parviennent, c'est sous forme de miettes. Qu'on dise clairement comment se fait la répartition ; qu'on déclare les quantités à distribuer, et qu'on détermine et dise les quantités à attribuer à chaque village. Mais on ne le fera pas, car il serait vite découvert à quels niveaux et à quelles échelles se situent les détournements.

Atumbi marqua une pause. Les autres devaient être d'accord avec lui. Ce sont les mêmes propos qu'ils tiennent entre eux quand il n'y a pas d'étranger. Il continua :

— Et pendant que sévit cette grande catastrophe, de Kionda nous parviennent par la radio des nouvelles de fêtes, d'inaugurations, de multiples voyages à l'étranger des membres du gouvernement. Comme s'il n'y avait pas assez à faire chez nous. C'est ça le travail de la radio. Nos enfants qui ont pu faire quelques années à l'école, ont la chance d'écouter les radios d'autres pays pour savoir ce qui se passe effectivement chez nous. Mais nous, les analphabètes, avons-nous d'autres choix à la radio nationale ?

Cette dernière phrase fut suivie d'un silence profond. On discerna nettement le cri aigu d'un insecte nocturne. Une hyène hurla au loin.

— Tu as bien parlé, Atumbi l'Ancien, reconnut Tendi. Tu as parlé selon ton droit ; tes accusations sont fondées et malgré tout tu as parlé sans haine. (En effet, Atumbi enfournait enfin sa pincée de tabac.) Ce jeune homme que tu vois ici parmi nous n'est pas responsable de ce qui se passe. La radio, les nouvelles ne sont pas l'affaire d'un seul homme. Il fait partie d'un groupe professionnel qui obéit à un chef qui lui-même obéit à un autre chef et ainsi de suite jusqu'au président de la République. A lui seul, notre hôte ne peut rien changer malgré sa détermination. Il est parmi nous aujourd'hui non pas pour recevoir nos doléances, mais pour effectuer un travail qui doit aider ceux qui nous aident à mieux nous aider. Tu peux être certain que ce n'est pas le gouvernement qui lui demanderait un tel travail. Aussi rendons hommage à celui qui veut informer l'extérieur sur ce qui se passe réellement. Maintenant, il se fait tard. Que chacun rejoigne sa case.

17

— On va te préparer une case, petit. Reste encore un peu.

Simon était seul avec le vieux Tendi. Le journaliste s'enquit de la réponse à la requête concernant sa mission.

— Ne t'inquiètes pas, nous te répondrons demain. Le Comité secret se réunira dans la grotte aux fétiches et le résultat des délibérations te sera communiqué.

Le vieillard prit le couteau de chasse, le tira du fourreau et fit étinceler la lame neuve à la lueur de la lampe à huile, tâta le fil pour en mesurer le tranchant. Il hocha la tête en émettant des « ah ah » de satisfaction.

— Pas trop fatigué par le voyage ? Vous de la ville, vous êtes habitués aux routes goudronnées et aux voitures confortables.

— Je ne sens plus tellement la fatigue car j'ai pu me reposer chez le maître d'école de Kameh.

Il existait une sympathie sincère entre le jeune homme et le vieillard. Simon en eut conscience. Tendi le considérait réellement comme un petit-fils. Etait-ce à cause de Sambou, ou parce que le vieux voyait en Simon un citadin différent de ceux qu'ils connaissaient à la campagne, arrogants, méprisants, et souvent sans scrupules ?

— Ne sois pas trop vexé par ce que t'a dit Atumbi. Il est connu pour son franc-parler mais il n'est pas méchant du tout. Nerveux, oui. Mais il y a de quoi. Il est devenu amer par la perte de deux de ses enfants en bas âge, morts dans la même semaine du fait de la famine. Il possédait par ailleurs un bétail florissant qu'il a vu dépérir et disparaître sous ses yeux. Cela lui a donné des aigreurs d'estomac aggravées par l'inquiétude pour l'avenir.

— Je reconnais qu'il dit en gros la vérité. Ce qu'il ne sait pas, c'est que beaucoup de journalistes voudraient dénoncer les détournements. Les détournements ne concernent pas seulement les vivres.

— Faites quelque chose, dit Tendi, toi et tes camarades. Osez dénoncer l'injustice qui nous est faite depuis l'indépendance. A l'indépendance, on nous avait expliqué que nous étions débarrassé de l'homme blanc et de tous les maux qui marquaient sa présence. Pour nous, ces maux c'étaient les impôts trop lourds, les fonctionnaires véreux de l'Administration locale, les négociants en produits agricoles malhonnêtes. Les Blancs sont partis, mais tout cela est resté et s'est même aggravé. Puis, on nous a fait comprendre que nous pouvions nous enrichir tout en enrichissant le pays en cultivant des productions destinées à l'exportation. Alors, appâtés par l'argent et par tout ce qu'il permettait d'acquérir, nous avons délaissé les cultures vivrières pour les cultures utiles à l'étranger. Et finalement les prix de ces produits baissaient d'année en année. Il paraît qu'ils sont fixés chez les Blancs. Pendant que nos revenus baissaient, nous arrivions difficilement à nous nourrir nous-mêmes. Puis la sécheresse s'en est mêlée. Et ce fut le désastre. Plus de vivres, plus d'argent du tout. Nos structures sociales ont été ébranlées. Rares sont les clans qui ont pu préserver leur cohésion. Nos jeunes s'en vont à la ville et nous ne savons ce qu'ils deviennent. Ou nous préférons ne pas le savoir. Des ivrognes certainement et des filles de joie. Tu as vu toi-même les effets de la sécheresse sur la brousse et ses habitants, mais tu as vu aussi les nouveaux riches qu'elle a créés en ville. Et avec ça la sécheresse n'est pas prête de s'en aller. Combien de temps va-t-elle encore durer ?

La petite lumière de la lampe à huile éclairait la

moitié du visage levé vers Simon. Interrogatif. L'ombre avait effacé la deuxième moité du visage. Le jeune homme pensa à un masque qui, quels que soient les messages et symboles qu'il délivre, garde toujours quelque chose de mystérieux, impalpable et inquiétant.

— La sécheresse ? Cela fait une douzaine d'années qu'elle dure. C'est déjà trop. Elle ne devrait pas tarder à s'en aller.

— C'est une illusion de croire qu'elle va bientôt finir. (Le masque avait accentué sa gravité.) Une illusion dangereuse. Cette calamité peut durer encore des années... Nous devons compter avec elle et réagir en conséquence. Ce n'est pas une ou deux saisons de pluies normales qui vont changer les choses. Nous devons faire comme si elle s'était installée pour encore longtemps. Et trouver nous-mêmes les solutions à ce fléau. Tu sais, les aides en vivres qui nous viennent des pays étrangers diminueront et même cesseront un jour. Les pays qui les envoient ne sont pas à l'abri de calamités naturelles. Les Blancs ont beau maîtriser les secrets de la nature, ils ne peuvent percer le mystère des dieux. Et la grande Dame de la désolation pourrait les visiter à leur tour... En outre, il suffirait d'une guerre chez eux pour que toute aide soit coupée. Je me rappelle que pendant la Deuxième Guerre mondiale, nos récoltes étaient confisquées pour être envoyées en Europe.

Le vieux Tendi tira sur la mêche pour augmenter la flamme de la lampe. Puis son regard se figea dans le vide.

L'atmosphère de la case, le masque qui lui parlait et les paroles qui sortaient de ce masque créèrent en Simon une impression d'indicible angoisse.

La sécheresse installée pour encore longtemps ? Le vieux voulait peut-être conjurer le sort en adoptant un pessimisme délibéré. Rien n'indiquait formellement le prolongement de la sécheresse, sauf peut-être l'avancée du désert. Mais rien n'indiquait non plus de façon certaine qu'elle s'en irait bientôt à jamais. Assurément l'attitude du vieux était la plus sensée, la plus pru-

148

dente. Elle préconise vigilance et initiatives pour juguler le fléau ou ses conséquences.

— Ce beau pays plein de vigueur est à la merci de la sécheresse. Que cesse le mépris pour le paysan (le vieux releva et durcit la voix). Qu'on nous considère comme des citoyens au même titre que les autres. Qu'on se concerte avec nous d'abord, nous les premiers concernés. Il ne peut y avoir de solution efficace sans nous. Ce n'est pas un individu, aussi exceptionnel soit-il, qui peut résoudre la question à lui tout seul. Même entouré des collaborateurs les plus instruits. Le meilleur conseiller, c'est le paysan lui-même.

Le masque adoucit un peu son expression et demanda à Simon :

— Tu ne dis rien ? Tu dois penser que je rêve à haute voix.

— Absolument pas, protesta le journaliste. Ce que tu dis là est ce que j'ai entendu de vraiment sensé sur la sécheresse.

— Les choses vont s'aggraver, fiston ! Et qui souffrira le plus ? Toujours le paysan. Qu'y a-t-il après le désespoir ? Rien ! Le Néant ! S'est-on une seule fois dit que les paysans n'accepteront jamais leur anéantissement, dans l'injustice et le mépris. A-t-on imaginé que les paysans, trompés, brimés, spoliés, affamés, pourront s'attaquer à l'Administration, à la ville, à tout ce qu'elles représentent ? Alors, malgré leurs arcs et leurs fusils à pierre, ils ne reculeront devant aucune force armée, car derrière eux c'est l'abîme.

Simon fixa le masque. Il imagina des milliers de masques se durcissant dans des milliers de cases et exhortant des masses à bout à la lutte contre l'anéantissement. Qui pourrait alors les arrêter ? Et à quel prix ?

Une silhouette de femme se découpa à l'entrée et de là, sans entrer, annonça quelque chose au patriarche.

— Ta couche est prête, dit-celui-ci à Simon en reprenant sa voix humaine. J'enverrai te chercher demain. Que la nuit te soit calme.

Avant de se coucher, Simon mit ses notes à jour à la lueur d'une bougie qu'il avait amenée avec lui.

Puis, étendu sur le grabat, il repassa la soirée en pensée. Il s'arrêta sur le quasi-monologue du vieux. Des réflexions lui vinrent à l'esprit. « L'aide alimentaire ? Inefficace et dangereuse. Les grands projets de barrages ? Spectaculaires mais incertains. Leur réalisation demande de longues années pendant lesquelles le paysan continue de mourir. Et il n'est pas du tout sûr que ces barrages apportent le bonheur à la campagne. Beaucoup d'entre eux, inadaptés, trop vite réalisés ou venus trop tard, ont au contraire aggravé les malheurs des paysans parce que amenant avec eux des technologies qui les dépassaient par les coûts et les niveaux et parce que propageant à des dizaines de milliers de personnes des maladies autrefois circonscrites à quelques villages. Ce qu'il faudrait, ce serait élaborer et construire à partir de technologies élémentaires et avec des matériaux existant sur place, des barrages de taille locale, ou à la rigueur régionale. Quant aux organismes interafricains pour l'aide au Sahel, leur grand nombre est un indice d'inefficacité. Le plus connu de tous, le C.I.L.S.S., est un exemple patent de tentative vaine de mise en commun des efforts à l'africaine. Ces organisations sont inopérantes parce qu'au départ, dans leur conception, dans leur fonctionnement, les choses sont truquées. On crée des postes sur mesure pour faire plaisir à des Etats et à des individus. Et que dire des initiatives des techniciens bloqués par des politiciens incompétents et irresponsables ! Ecœurant !

Tout cet argent, toutes ces énergies pour enrichir d'ignobles individus. « Sécheresse-sécherichesse. Belle rime en vérité ! »

Il soupira d'indignation, puis se détendit et s'endormit.

18

La natte qui servait de porte s'écarta. Le soleil pénétra dans la case par flots dorés et impétueux telles les eaux d'une digue rompue. Simon se leva sur son coude et consulta sa montre. Elle marquait sept heures, mais il vérifia de l'oreille qu'elle marchait parfaitement. Une jeune fille occupait toute l'embrasure de la petite porte. Elle ne portait d'autre habit que le pagne court des jeunes filles non mariées. « Elle ne doit pas dépasser les quinze ans, estima Simon ; déjà femme et du caractère certainement si j'en juge d'après le menton volontaire et les yeux vifs. »

Elle entra et le jaugea du regard comme pour décider du ton à employer.

— Le soleil s'est levé avant toi, lança-t-elle en riant. C'est que tu devais être bien fatigué hier soir ! (Son rire faisait tinter ses nombreux bracelets de cuivre.)

— Eh oui, répondit Simon, poli. J'ai voyagé tout l'après-midi.

— Ce n'est pas une vraie cause de fatigue ça ! fit-elle toujours riant.

— Ah bon, dit Simon interloqué. Quoi alors ?

Le jeune homme se sentit un peu naïf. Il y avait quelque chose à comprendre. Il se piqua de curiosité. Cette fille se comportait avec lui comme si elle le connaissait depuis longtemps. Il décida d'entrer dans son jeu.

— En fait, dit-il, hier soir je n'ai pas eu l'occasion de me dépenser. De me fatiguer, souligna-t-il. Tu es coupable de m'avoir laissé tout seul passer la nuit. (Elle rit encore.) Dis-moi, où as-tu appris le mandingue ? D'abord viens t'asseoir ici près de moi.

Elle vint d'un pas décidé s'asseoir sur le grabat.

— Tu n'as pas peur de moi ?

— Non, pas du tout, dit-elle l'air effronté. Le cabri égorgé n'a plus aucune crainte du couteau. (Nouveaux rires.)

Simon jura. En clair, le proverbe signifiait qu'ayant déjà perdu sa virginité, elle n'avait plus rien à redouter d'un homme.

— J'étais venue te dire bonjour et voir à quoi ressemblait notre étranger. Maintenant il faut que je parte.

— Attends un peu. C'est vrai ton histoire de cabri ?

— Facile à vérifier, fit-elle encore plus effrontée.

Provocation ? Ingénuité ? Simon bouscula ses scrupules et bascula la fille...

Le petit groupe de filles pouffa de rire quand elles virent Simon sortir de l'enclos attenant à la case et servant de toilettes. Il y avait trouvé un demi-canari d'eau. Il s'y était vite lavé, furieux contre lui-même de ne s'être pas maîtrisé. Il se demandait s'il n'avait pas commis une bêtise qui allait porter préjudice à sa mission. Il fallait sans doute songer à réparer. Et voilà que les filles riaient en le voyant. Ainsi on savait déjà et il se rassura à l'idée que cela n'avait pas l'air d'être un drame. Il se sentit quelque peu délivré et éclata de rire à son tour, ce qui déclencha d'autres rires, plus ouverts. Ici le sexe n'était pas un tabou. C'était même un sujet gai. Et on en riait franchement, sainement. Les filles se marraient de l'attitude gênée de Simon alors qu'il aurait dû se décontracter, sans esprit de culpabilisation. En tout cas, si ça faisait rire, c'est que ce n'était pas grave. Il se félicita finalement d'avoir agi « comme il fallait ».

Le soleil dardait des flèches argentées à force de réverbération et il n'était que neuf heures. Simon remarqua à ce propos qu'on ne lui avait pas proposé de petit déjeuner. « Ils n'en prennent pas, tout simplement, pensa-t-il. Ces braves gens ne mangeaient certainement qu'une seule fois par jour et quel misérable repas cela devait être ! » Il en aurait le cœur net après qu'il serait revenu de l'appel de Tendi. Il ménerait alors un reportage en règle sur les conditions de vie au village. Oniateh de ce côté-ci de la frontière ou de l'autre, cela revenait au même car l'organisme qui commanditait le dossier exerçait dans les deux pays. Trente minutes après, il n'y avait toujours rien. Simon s'inquiétait : allait-on jamais l'appeler ? Il fit un rapide signe de croix et pria Dieu pour que le vote du Comité secret lui soit favorable. Puis il sourit à l'étonnement probable du Saint-Père recevant une requête lui demandant la faveur de païens. A peine avait-il refait le signe de croix que la jeune fille du matin réapparut.

— On viendra te chercher tout à l'heure, dit-elle.

Simon lança un bref merci au ciel.

La fille avait changé d'attitude. Elle n'avait plus son air effronté. Elle était même devenue sérieuse et coulait des regards énamourés vers Simon. Elle avait amené un balai et commença à faire le ménage de la case.

— Comment tu t'appelles ?

— Emangi, fit-elle sans lever ni la voix ni la tête.

— Emangi, reprit-il pour s'imprégner du prénom.

— Cela veut dire « harpe » en bassari, dit un homme adulte qui venait d'arriver.

C'était l'envoyé du Comité secret. L'homme mena Simon hors du village. Ils prirent un sentier en direction des falaises. Le chemin ne semblait pas très fréquenté. Bientôt, il devina dans la falaise l'ouverture d'une grotte. Les buissons qui en masquaient l'entrée étaient feuillus malgré l'aridité ambiante. Une légère fumée traversa le feuillage à l'entrée. Les deux hommes écartèrent les branchages et s'engouffrèrent dans l'antre.

Par où pénétrait le soleil ? Difficile à dire. Des rayons et des reflets de rayons donnaient une visibilité suffisante dans la grotte tout en ménageant des zones d'ombre savamment réparties. Là étaient sans doute les fétiches-clés, qu'il fallait isoler de la vue des non-initiés entrés par inadvertance.

Assis en demi-cercle, sept hommes portant des masques se tenaient immobiles telles de vraies statues. L'homme qui avait accompagné Simon prit place au bout de l'arc de cercle après avoir mis un masque déniché dans une zone de pénombre. Il y avait un neuvième personnage assis au centre du cercle face aux autres. Simon se rappela soudain que dans la grande case ils étaient neuf. Donc c'était eux le Comité secret. Il tenta de deviner Atumbi. Facile : c'était le plus costaud. Le masque du centre du cercle devait être le vieux Tendi, ou le Grand Officiant. Mais souvent cela se confondait. Faisant appel à ses notions d'ethnologie, Simon désigna les masques. Il y avait là le masque-Lion, le masque-Oiseau, le masque-Caïman, le masque-Antilope, le masque-Buffle, et bien d'autres à l'ésotérisme hermétique.

Le maître de cérémonie portait l'immense masque des ancêtres, aux yeux vides et à l'expression sévère et terrifiante.

— Etranger, fils de notre frère, les divinités ont parlé après les hommes (sous le masque, la voix du chef prenait une intonation cérémonielle, impersonnelle). Nous les humains ici-bas, notre voix n'est rien, notre volonté s'incline devant celle des ancêtres et des esprits. (Il marqua une pause.) Notre assemblée du Comité secret a consenti à recevoir ta demande de t'informer sur certains événements concernant notre clan. Mais ce sont les Esprits qui disposent. Nous les avons alors consultés. Leur réponse a été la suivante : « Si cela ne peut être utile, cela ne peut être nuisible. » Notre perplexité nous a poussés à poser une autre question : « Quels sacrifices exigez-vous ? » Ils ont répondu : « Du sang. » Du sang de quoi ? Nous n'avons plus aucune bête au village. Nous avons alors proposé du jus rouge de noix de kola à la place du sang. Cette offre a été acceptée. Et s'ils ont accepté l'offrande, c'est que l'ambiguïté de leur première réponse était feinte.

Tendi consulta silencieusement les autres en tournant successivement son masque vers chacun d'entre eux. Tous approuvèrent de la tête. Atumbi y mit une légère réticence. Repersonnalisant quelque peu sa voix, le vieux s'adressa à Simon, assis à ses côtés.

— Fils, tu vas être informé des secrets réservés aux Grands Initiés. Tu n'es pas Grand Initié mais ton grand-père Sambou l'est. Et bien que n'étant pas Bassari, il ne manquait jamais à l'appel. Son âge avancé et sa cécité lui interdisent de longs déplacements. Mais nous considérons que c'est lui qui t'a envoyé. Pour recevoir sa part d'informations. Pour nous, c'est lui qui est ici parmi nous. Aujourd'hui l'esprit de Sambou va entrer en toi. Ainsi ce sera lui qui recevra les secrets même si c'est ton corps à toi qui le percevra. En quittant ce sanctuaire, tu reprendras ton âme et ton esprit de non-initié. Le non-initié n'est pas tenu à l'obligation de réserve puisqu'il est censé ne rien savoir. Mais que ce que tu apprendras ne soit pas connu des non-initiés du clan ! Et que cela serve à bon escient ! A bon escient, répéta-t-il avec un accent nettement menaçant.

Le Grand-Officiant se tourna alors vers un groupe de statuettes maculées de sang et de jus de kola et ses incantations s'élevèrent dans la grotte, accompagnées de mouvements de bras. Simon pensa que ces mouvements indiquaient un transfert et se dit que c'était là sans doute la cérémonie de transposition de l'esprit du vieux Sambou dans son corps à lui. Puis, Tendi souffla dans une corne de buffle qui produisit le fameux son du cor des sociétés secrètes tel le komo. Le son de ce cor remplissait d'effroi femmes et enfants. Autrefois ces sociétés faisaient des sacrifices humains et gare à la traînarde des chemins de brousse et à l'enfant sorti trop loin du village qui tombaient dans leurs filets. Le cor passa de bouche à bouche et arriva à Simon. Il parvient à en tirer juste un souffle bruyant, le sien propre. Il recommença et obtint un minable bruit de pet. C'était suffisant. On lui reprit l'instrument des mains et quelqu'un joua un bref solo.

Tendi ôta son masque. Tous l'imitèrent.

— Nous te confions à notre frère Atumbi l'ancien le Buffle impétueux, dit-il.

Sous le masque-Buffle apparurent les cheveux grisonnants couvrant la grosse tête d'Atumbi l'ancien. Les masques furent remisés dans les coins sombres. Puis sept des participants disparurent, laissant sur place Tendi, Atumbi et Simon. Un Simon métamorphosé symboliquement pour la circonstance en Sambou.

— L'homme qui est en face de toi est le père de l'archer.

Atumbi l'ancien, le père de l'archer ! Mais, nullement intéressé, semblait-il, par cette présentation, Atumbi l'ancien ignora Simon et traça du majeur et de l'index des signes sur le sable. De la géomancie, se dit Simon, mais pourquoi ?

— Atumbi le jeune devra avoir accompli sa mission avant la pleine lune, dit l'ancien à voix basse, comme pour lui-même. Car alors la faveur des divinités lui serait contraire. (Il avait élevé la voix.) Il devra rentrer aussitôt après.

Comme il s'exprimait en mandingue, le journaliste estima qu'il s'adressait à lui aussi et demanda à chaud :

— Vous ne craignez pas qu'il soit arrêté par la police ?

— Nous ne craignons rien de ce côté. (La voix était assurée, sans forfanterie.) Il est aidé et protégé.

— Par qui ?

— Je ne dirai pas cela. Jamais !

— Je suis censé être Sambou, votre frère, Grand-Initié comme vous. J'ai le droit de savoir.

Tendi intervint :

— Esprit de Sambou, tu ne peux tout savoir. Ce secret très important est réservé. Nous sommes les deux seuls à le détenir. Atumbi l'ancien te dira ce qui est possible d'être révélé sans effaroucher les dieux.

C'était sans réplique. Insister reviendrait à se remettre dans la peau du profane, donc à mettre fin à l'entretien.

— Quelle est la mission de l'archer ?

— Châtier ! cria Atumbi.

— Qui ?

— Des traîtres ! (Il frémissait de colère.) Ils ont

suscité la colère des ancêtres et devront subir les châtiments réclamés par les Esprits supérieurs.
— Qu'ont-ils fait pour mériter la colère des ancêtres ?
— Ils sont coupables de félonie. (Atumbi l'ancien ne décolèrait plus à toute cette évocation.) Ils ont trahi le clan, ils ont trahi les ancêtres et cela ne se pardonne pas. Ils ont condamné à mort et exécuté des dizaines d'habitants de ce village.
« Ça vient », pensa le journaliste tout excité.
— Comment est-ce possible ! s'exclama-t-il, sincèrement étonné, mais aussi désireux d'en savoir plus.
— Il y a de cela neuf ans. (Atumbi l'ancien paraissait entamer un long récit car il croisa les jambes et s'assit en tailleur.) Il y a de cela neuf ans aujourd'hui. La sécheresse avait atteint un degré jamais vu auparavant dans tout le pays bassari. (Le mot sécheresse fit un « tilt » dans l'esprit du journaliste.) Des années consécutives sans récoltes et les greniers étaient vides. L'aide ? On nous l'avait promise. On avait même annoncé à la radio qu'elle nous était arrivée et distribuée. Mais nous à Oniateh, là-bas de l'autre côté, nous n'avions pas vu un grain de céréales. N'est-ce pas Tendi ?

Tendi hocha la tête, l'air sombre. L'évocation de ces souvenirs ne lui réussissait pas.

– Parle, Tendi, explique-lui. A l'époque, tu avais comme maintenant les choses en main.

— Que pouvions-nous faire sans rien dans les greniers, sans rien dans le ventre, dit le vieux. Attendre une aide qui ne venait pas, trompés par les mensonges de l'Administration ?

— Et de la radio ! renchérit Atumbi.

— L'assemblée des initiés, continua Tendi sans tenir compte de l'interruption, décida d'envoyer trois jeunes gens chercher des vivres à Kénédou le chef-lieu. Nous savions que les aides à la sécheresse s'écoulaient ostensiblement au marché. Nous devions faire cette chose inouïe : acheter au prix fort ce qu'on disait nous offrir gratuitement.

— Vous êtes-vous adressés auparavant aux services locaux chargés de la répartition dans la région ?

Simon posait cette question pour s'entendre réaffirmer ce qu'il savait déjà. Mais une confirmation n'était pas de trop.

— Les services locaux ? Vois le moindre petit fonctionnaire de ces services. Ce sont tous des petits potentats dans leurs bureaux. Ils s'enrichissent avec nos vivres et imposent toutes sortes de conditions pour obtenir quelques grains, nous font subir des brimades. Il est vrai qu'ils agissent comme leurs supérieurs hiérarchiques. Nous nous sommes adressés maintes fois à ces services de la répartition. Mais les réponses étaient invariablement les mêmes : ou revenez une autre fois parce qu'il n'y a plus rien à distribuer, ou retournez chez vous au village, on vous livrera votre quota là-bas. Mensonges, arrogance, cynisme, voilà ce que nous avons retenu des services de distribution de vivres... Je sais de quoi je parle. C'est moi-même, qui en tant que chef du village, coordonnais les opérations de survie.

— En quoi consistait la félonie de ceux qui ont trahi ? demanda Simon, revenant ainsi au sujet principal, tout en se promettant d'approfondir la question de la répartition plus tard.

— Je t'ai parlé tout à l'heure de trois jeunes gens du village. Nous les avons envoyés à Kénédou après les échecs essuyés auprès des services de répartition. Il nous fallait manger. Mais où trouver l'argent pour acheter à manger ? Les sommes collectées dans le village, soit la totalité des économies en argent, étaient dérisoires en regard des besoins. Alors... Continue, toi, Atumbi, tu es aussi bien placé sinon mieux placé que moi pour la suite.

— Alors, attaqua Atumbi toujours coléreux, il a fallu toucher à l'intouchable, accomplir le sacrilège. Il fallait de l'argent ? L'Idole d'or fut évoquée. Vendre l'Idole d'or ! Pourtant c'était la seule solution qui restait. Cette idole recevait les grands sacrifices pour assurer la fécondité de nos femmes, de nos bêtes, de nos champs. Et il fallait s'en séparer ! Les divinités ont protesté. Pour les calmer, Tendi leur offrit la toute dernière génisse. En même temps, il leur promit une statuette plus grande dans quelques années. Nous pensions tirer de l'idole, dont l'or pesait le poids d'un cabri sevré, un bon prix et ainsi faire l'acquisition de vivres d'urgence, mais aussi de pompes à bras, de semences et d'animaux à élever. Le clan devait devenir une communauté à laquelle appartiendrait tout cet équipement, tout comme l'idole d'or appartenait à tous. Nos projets étaient de creuser des puits, de cultiver céréales et légumes. Les légumes se vendraient à la ville et petit à petit, avec cet argent, on achèterait de l'or pour faire une nouvelle idole d'or. Et c'était moi qui devais la façonner. C'est moi le forgeron du clan. Mon père l'a été avant moi et mon grand-père avant mon père. L'idole fut vendue mais l'argent en fut détourné. Désabusé, je fis une statuette de remplacement en cuivre. Mais les divinités la boudèrent et demandèrent le lavage dans le sang du grand sacrilège qui les avait offensées.

Atumbi le forgeron s'arrêta quelques instants de parler. Il respira profondément, ce qui fit croire à Simon qu'il allait en venir au cœur du sujet : qu'avaient-ils fait ?

— Donc, reprit-il, nous avons envoyé trois jeunes gens à la ville avec la statuette d'or et avec toutes les recommandations de vigilance. A la ville, on est vite escroqué. Pour plus de précautions, nous leur avons conseillé de s'adresser à Maka Lomo, un des nôtres, un Bassari comme nous. Il était instruit et il travaillait comme commis dans l'administration à Kénédou. Dans notre esprit, Maka devait aider nos émissaires à éviter les embûches de la ville. Il devait les guider dans la vente de la précieuse idole et aussi dans l'achat de vivres et d'équipement.

Là encore le forgeron marqua un arrêt, chercha du regard la complicité de Tendi. Ensemble ils hochèrent la tête de dépit.

— Nous n'avons jamais revu nos trois envoyés. Maka Lomo aussi avait disparu de Kénédou. Puis nous apprîmes de la femme de Maka qu'ils étaient partis tous les quatre à Kionda. Une semaine plus tard, nous avons envoyé deux membres du clan s'informer dans la capitale. Ils étaient un peu plus âgés, ils avaient beaucoup voyagé et nous pensions que leur expérience de la vie les aiderait. Eux aussi ne donnèrent plus signe de vie.

Atumbi l'ancien, de plus en plus enrageant, laissa la parole à Tendi qui poursuivit :

— Les mois, les années passèrent. Le village vivait une tragédie quotidienne. Nous avons consommé tout ce qui était consommable. Nous avons abattu et mangé les dernières chèvres. Puis ce fut au tour des ânes et des chiens. Même mon cheval, la fierté de tout le clan, fut immolé pour fournir de la nourriture. Nous avons mangé ces choses immondes que sont, pour nous adultes, les margouillats. Nous avons mangé des insectes, des racines... Il est arrivé à deux de nos chasseurs de disputer aux hyènes le corps d'un porc-épic qui venait de mourir de soif. Ensuite ce fut le cortège des morts. Les plus âgés partirent les premiers, comme s'ils voulaient diminuer le nombre des bouches. Puis ce furent les enfants en bas âge, les bébés qui tétaient des mamelles vides et mouraient au moindre petit malaise. Et pendant ce temps, six individus vivaient grassement avec le bien de six cents personnes qui mouraient à petit feu.

— Car on a pu les retrouver, ces fils indignes, lança le forgeron. Ils étaient bien dans la capitale et avaient changé de noms pour ne pas être reconnus des nôtres et échapper au châtiment. Mais chaque année, les dieux exigeaient l'immolation de ceux qui avaient voué à la mort des dizaines de sages, de jeunes bourgeons, de femmes encore fécondes et d'hommes encore pleins de sève, mettant en péril l'existence du clan. Leur cas était aggravé par le fait que le détournement s'était effectué à travers l'Idole d'or, geste d'irrespect pour elle, injure inexpiable. Ils avaient signé leur propre mort. Le Comité secret s'était réuni et nous avons désigné le bras du châtiment. Sa formation me fut confiée en tant que maître des forges et des armes. Je suis fier qu'entre tous mon fils Atumbi ait été choisi. Il s'acquittera de sa tâche sans faiblir.

« Sa formation me fut confiée » ! Le vieux Sambou

disait vrai encore une fois. Jusqu'à présent ses propos n'avaient pas été démentis. A croire qu'il avait assisté à la réunion décisive du Comité secret. Simon voulut en savoir plus sur cette formation.

— Je lui ai appris à se perfectionner dans le tir à l'arc, reprit Atumbi. Je l'ai entraîné, surentraîné, comme on le ferait des archers d'élite d'autrefois. Jeûne forcé, endurance à la soif, à la chaleur, au froid, à la fatigue. Insensibilisation à la douleur. Maîtrise des nerfs. Mais là où j'ai accordé le plus d'attention, c'était la préparation de l'esprit. Atumbi devait se convaincre à chaque instant qu'il était investi d'une mission qui lui était confiée par les dieux. Que sa volonté et sa main ne devaient faiblir à aucun moment. Que ceux qu'il allait frapper étaient des ennemis du clan, pires que de vrais ennemis car c'étaient des traîtres. Mais il devait savoir aussi qu'il pouvait mourir, ceci à tout moment, victime des forces maléfiques qui aidaient les traîtres. C'était lui qui allait venger et sauver le clan. Il devait s'en imprégner. Complètement. Pour réussir. Et il réussira.

Simon en vint à la question qui l'obsédait depuis l'ancien site d'Oniateh :

— Pourquoi le village a-t-il quitté son emplacement précédent ?

Tendi prit la parole.

— Nous avons décidé de quitter Oniateh pour venir ici nous installer dans Oniateh-nouveau quand le Comité secret a décidé de frapper. Il nous fallait une protection sûre contre les représailles de l'Administration au cas où les recherches auraient mené jusqu'à nous après la mission d'Atumbi le jeune.

— Etes-vous mieux ici que de l'autre côté ?

— Ici, nous ne mourons plus de faim. Ici on s'occupe de nous parce que nous sommes des immigrés récents et qu'il s'agit de nous empêcher de retourner d'où nous sommes venus. C'est dans ce but qu'on nous envoie parfois des vivres. C'est nettement insuffisant et il y a de longues périodes où il n'y a rien du tout. Mais au moins nous ne mourons pas de faim. Combien de temps cette situation va continuer ? Je ne sais. Des

villages voisins du nôtre souffrent durement de la famine. Les autorités sont de la même sorte des deux
côtés de la frontière.

— Et la même sorte de radio aussi ! ajouta Atumbi.

Simon estima qu'il en savait assez sur l'archer et
sa mission. Il lui restait à présent à découvrir ce qui
s'était passé à Kénédou et dans la capitale depuis l'arrivée des premiers envoyés. Ses deux interlocuteurs
ne purent lui venir en aide dans ce domaine. Ils ne
savaient pas comment l'argent des vivres avait été détourné et déclarèrent que cela ne les intéressait pas.
Ils voyaient la situation qui en résultait et c'était suffisant pour eux. Le journaliste décida de mener la
suite de son enquête à Kénédou et à Kionda.

Une dernière chose l'intriguait. Papa André Koh,
dont on avait lié le meurtre aux précédents, avait été
mordu par un serpent. Avait-il réellement un lien avec
les autres tués par flèches ?

— Il s'appelait en fait Andekudy Kororo, dit Tendi.
Il est invulnérable au métal. Il a subi dans sa jeunesse
une formation destinée aux plus aguerris des garçons
pour les rendre invulnérables. Nous avons pour cela
des procédés secrets. Alors nous lui avons envoyé la
mort sous une autre forme. Les crochets de serpents
ne sont pas de métal.

— Comment faites-vous pour savoir si l'archer a
réussi ?

Le forgeron lui montra le petit espace de sable sur
lequel il avait tracé des signes géomantiques. « La
géomancie comme service de renseignements ! » Simon
dissimula son incrédulité pour ne pas rire et n'insista
pas... Mais l'autre continua placidement à tracer de
nouveaux signes ésotériques.

— Atumbi a déjà abattu cinq traîtres, dit-il. Ce
soir ce sera la pleine lune. Il devra frapper avant la
tombée de la nuit. Là-bas à Kionda, il ne reste que
quelques ultimes instants à vivre à Olankhan, le dernier des six. Mais il ne le sait pas...

Dehors, le soleil était au zénith. Il brûlait véritablement la campagne tant il chauffait. Yendé sortit de

la grotte avec Simon, laissant à Atumbi l'ancien le soin de ranger les objets du culte et de fermer la porte de broussailles. Sur le chemin du retour au village le paysage était encore plus désolé que quelques heures plus tôt. Brûlé par le soleil, il offrait un aspect aride plus marqué.

— Regarde ça, dit le patriarche, accablé. Nous devons faire quelque chose. Nous ne pouvons rester les bras croisés à attendre tous des autres. Il faut de l'eau et il y a de l'eau ici. (Il tapa le sol du pied.)

— C'est effectivement de l'eau qu'il faudrait d'abord, répondit Simon. Mais pour la faire monter il faut la technique. Les outils d'hier ne sont plus efficaces dans cette situation.

— Nous ne refusons pas la technique, nous ne refusons pas la modernisation. Nous voyons ce qu'elle peut nous apporter, déclara Tendi. Mais il faut qu'elle intervienne par étapes, à un rythme que nous aurons choisi et qui nous permettra de nous adapter progressivement, sans déchirure trop violente, qui compromettrait notre équilibre déjà mis à mal. La modernisation mal assimilée a conduit à des erreurs. En ville, sous prétexte de modernisation, ils se sont fourvoyés. Qu'on nous comprenne bien. Nous ne sommes pas contre l'évolution mais qu'on évite de nous l'imposer.

Ils étaient arrivés au village. Devant une des premières cases, le journaliste vit un groupe d'enfants qui grillaient quelques arachides en coques qu'ils se partageraient. Et ce sera là leur déjeuner ? L'unique repas de la journée. Il en aurait la réponse et bien d'autres informations dans les heures qui allaient suivre et qu'il allait consacrer à visiter le village et à interviewer les villageois pour son dossier « Sécheresse-acheminement des vivres ». Mais quelle catastrophe ! se dit-il. Il trouvait la situation des plus préoccupantes. Et dire qu'elle l'était depuis des années ! Pour ce village et pour bien d'autres.

— J'ai un sac de niébé pour vous à Kameh, dit Simon. Je n'ai pas pu l'amener hier mais je pense que des jeunes du village pourront venir le prendre.

— Du niébé ? Un sac entier ? Le vieux Tendi s'é-
tranglait dans sa surprise.

— Oui, affirma le jeune homme.

Simon avait remarqué à son entrée à Kameh le jour
précédent qu'il se tenait un marché d'après-midi où
l'on vendait quelques maigres produits dont des hari-
cots-niébé. En voyant la situation désastreuse du village il avait pensé « faire quelque chose » et avait décidé d'acheter un sac de ces petits haricots à son retour à Kameh. Ces niébés ne pouvaient qu'être les bien-
venus à Oniateh-nouveau. Semés dans le potager près
du puits, ils donneront vite des feuilles vertes déjà très
nutritives à ce stade, puis produiront des graines dont
on fait des plats très riches en protéines.

— Un sac de niébé ! répéta Tendi, en réajustant
sur sa tête le bonnet de coton brodé offert la veille.

Tendi mit un point d'honneur à accompagner Simon dans son reportage sur la situation du village, la
politique de distribution des vivres dans cette partie
frontalière séparant les deux pays. Le journaliste pré-
voyait aussi d'effectuer d'autres reportages dans d'autres villages pour présenter un dossier exhaustif.

Simon quitta Oniateh-nouveau peu avant la fin de
l'après-midi. On tenta de le retenir quelque temps encore au village. Atumbi l'ancien, franc comme à son
habitude, rabroua ses congénères.

— Laissez-le donc aller faire son travail. Si vous
le retenez ici, qu'allez-vous lui donner à manger. Pensez-vous qu'il serait à l'aise ici le ventre vide ?

Cette intervention du forgeron mit fin aux discussions.

Simon distribua le reste de ses provisions : biscot-
tes, boîtes de sardines, lait concentré qui furent reçues
avec des remerciements bruyants. Puis il serra toutes
les mains qui se présentèrent et prit le chemin de retour escorté de deux guides, deux adolescents qui semblaient mieux supporter la famine car ils étaient bien
moins maigres que les autres.

A peine a-t-il avancé d'un pas qu'il sentit une main
dans la sienne qui le retenait. C'était Emangi, habillée

d'une méchante robe aux couleurs délavées et chaussée de plastique.

— Emmène-moi à la ville avec toi.

— Mais c'est impossible !, s'écria l'amant d'un matin. « Une candidate à l'exode, et vouée à la prostitution forcément, pensa-t-il. Non, je ne vais pas l'encourager dans ce sens. »

— Je serai ta femme. Je veux que tu sois mon mari.

— J'ai une fiancée !

— Je serai alors ta seconde femme !

— Pas question, je suis contre la polygamie, et ma fiancée encore plus.

— Je serai alors ta sœur.

— Mais, Emangi, tu serais malheureuse là-bas. Mes sœurs sont de véritables teignes. Elles te feraient souffrir.

— Bon, alors j'accepte, je serai ta bonne.

— Mais je ne t'ai rien proposé de tel. Ecoute, Emangi... (Je suis bien attrapé maintenant, pensa Simon en se rappelant l'aventure du matin.)

— Hé, monsieur Simon, emmène-la donc à Kionda, lança un des guides. Depuis ce matin elle parle à tout le monde de son amour pour toi, mêmes les arbres ont eu leur part de messages.

Les villageois éclatèrent de rire de bon cœur. C'est alors que Simon aperçut une jeune fille qui se tenait à l'écart, qui ne riait pas et qui le dévisageait. « La promise de l'archer, sans doute, se dit-il. » Emangi, qui avait remarqué le chassé-croisé de leurs regards, s'en prit vivement à la jeune fille solitaire et l'insulta copieusement. On s'interposa pour mettre fin à l'incident. Simon, lui, avait déjà pris la route du retour, flanqué de ses deux compagnons.

Le journaliste se félicita d'être venu chez les Bassari. Oniateh présentait un cas flagrant de village sinistré mal desservi en vivres de secours à cause des malversations, et ceci des deux côtés de la frontière. Par ailleurs, son enquête sur l'archer avançait favorablement. Il avait effectué une grande moisson de notes sur les situations observées et les propos entendus.

La traversée-retour de la rivière fut plus ardue qu'à l'aller. On vit des douaniers, mais de loin, et il fallut se cacher au moindre bruit. Malgré la fatigue et les égratignures récoltées pendant le trajet, le plus costaud des guides chargea le sac de niébé sur ses épaules dès l'arrivée à Kameh. Et avec son camarade, ils reprirent aussitôt le chemin du retour.

— Nous nous relayerons en cours de route, lancèrent-ils en guise d'adieu.

Resté seul avec l'instituteur de Kameh, Simon aborda avec lui la question du retour à Kénédou.

— Sous peu passera la camionnette du vétérinaire, dit le maître. Comme le cheptel est décimé, il a du temps libre et il vient par ici s'occuper de sa plantation, enfin ce qu'il en reste. Il retourne à Kénédou avant la tombée de la nuit.

Simon nota cette information avec intérêt et déjà il se promettait d'aller rendre visite à Madame veuve Lomo aussitôt arrivé à Kénédou... Avec l'enseignant, il se rendit au bord de la route attendre la camionnette du vétérinaire. En passant devant la cour de l'école, il vit une pompe mécanique à laquelle des femmes s'approvisionnaient en eau.

— Belle réalisation que cette pompe, dit le journaliste. Est-ce un don au titre de la sécheresse ?

— Pas exactement. C'est une acquisition de tout le village de Kameh. Nous, les salariés de la Fonction publique, avons cotisé à huit pendant des mois pour payer la pompe. Elle faisait partie d'un lot envoyé aux sinistrés, mais comme il n'y en avait pas assez pour tous, les autorités régionales ont préféré les vendre pour utiliser la recette au service des sinistrés. Mais, pour l'amour de Dieu, ne me demandez pas où est effectivement passé cet argent... Pour creuser le puits, nous avons institué un système qui permettait aux paysans aussi de cotiser. La quote-part de chacun s'évaluait en journées de forage, ou de main-d'œuvre, pour la maçonnerie par exemple. Et voilà, le puits appartient à tout le monde à présent.

Le maître était visiblement fier de leur réalisation.

— C'est un bon exemple d'initiative locale, dit Simon, et je trouve formidable l'idée de la cotisation en journées de travail librement consenti.

— Eh oui, renchérit l'instituteur, les villages ne peuvent plus payer quoi que ce soit. La sécheresse les a rejetés de l'économie monétaire qu'ils venaient à peine de connaître. Heureusement, pour certains d'entre eux, des jeunes du village exercent un travail salarié dans les villes. Sans les vivres que ces jeunes envoient à leurs parents, nombre de villages se seraient disloqués. (Montrant soudain au loin un nuage de poussière.) Tiens, voilà la camionnette du vétérinaire !

Il fit signe au véhicule qui freina dans un nuage ocre. Les présentations furent vite faites et Simon embarqua.

Le soleil avait fini sa course et avait laissé place au crépuscule, cette brève transition entre le jour et la nuit. Au sortir du village, le journaliste vit droit devant lui l'immense disque lumineux de l'astre de la nuit, parfaitement rond, comme tracé au compas, et qui paraissait occuper tout l'horizon. « La pleine lune » murmura-t-il, « Olakhan vit ses derniers instants sur terre, avait dit Atumbi l'ancien. Qui était Olakhan ? Sous quel nom se cachait-il ? »

19

Le conseiller du ministre, Sanko Kamaga, était très ennuyé d'avoir à s'occuper des cérémonies funéraires de Papa André Koh. Koh était chrétien et de son vivant avait exigé un enterrement chrétien. Il ne laissait ni veuve, ni héritier, ne s'étant pas marié à Kionda. Ce fut donc à son cousin Kamaga de commander un cercueil et divers objets funéraires d'un enterrement chrétien. Or Kamaga ne voulait à aucun prix mettre le nez dehors. Depuis la mort de Dombo et celle de Besso, la peur avait repris droit de cité. Les cérémonies et les mondanités furent annulées. L'inhumation de Dombo et de Besso avait réuni peu de monde, les amis d'affaires n'ayant pas fait le déplacement.

Plus que tout autre, Kamaga redoutait de sortir. Il savait bien que l'archer lui en voulait, et à lui seul. Il ne restait que lui. Il le savait aussi. Mais il devait se rendre au magasin funéraire. Il avait téléphoné pour commander, mais le gérant, arguant de précédents fâcheux, lui avait recommandé de venir en personne à la boutique. La société propriétaire, l'unique de la ville, préférait le choix sur place aux commandes par téléphone. Pour éviter toute contestation après livraison. Kamaga avait pourtant dit que le choix lui était indifférent mais le gérant lui avait poliment mais fermement répondu que la règle était que les clients choisissent sur pièce. Kamaga maudit son cousin d'être mort et de l'obliger à sortir par des temps aussi périlleux. Et puis, il vit le ridicule et la lâcheté de son attitude. De quoi il aurait l'air, lui, collaborateur du ministre, s'il se dérobait sous le coup de la peur ? Car on imaginerait aisément la cause d'une telle dérobade. Toute sa carrière serait compromise.

Et la détermination le saisit : « L'archer est un homme comme moi, pas un dieu », se dit-il avec force. Au lieu de me cacher passivement, il me faut me défendre, aller au-devant de lui, le provoquer même et l'obliger à se découvrir. Et alors, je lui réglerai son compte. (Il tira d'un tiroir un pistolet qu'il chargea après avoir vérifié le fonctionnement.)

Kamaga se félicita de son regain de courage. Il mit une barbe postiche admirablement bien taillée, endossa un gilet pare-balle que la police lui avait prêté et qui accentua son embonpoint. Malgré la chaleur, il chaussa des bottes.

Le magasin funéraire était situé à la lisière du riche quartier du Plateau et du quartier populaire de Bougosso. Le conseiller du ministre se tâta les côtes : le pistolet était là. Il ajusta le gilet pare-balle sous la veste. Il se rassurait ainsi. Arrivé à la boutique, il jeta un coup d'œil dans la rue et vérifia que les gardes qu'il avait demandés étaient bien à leurs postes. Le commissariat du neuvième secteur avait bien fait les choses : deux hommes en uniforme se tenaient à la porte du magasin, un doigt sur la gâchette du fusil, canon haut, l'œil aigu.

Une fois assuré qu'il était bien protégé, Kamaga descendit de sa voiture parquée juste en face du magasin, salua avec soulagement le jeune inspecteur qui vint à sa rencontre. C'était Sarré. Kamaga sembla soudain reconnaître le jeune officier de police. Il fronça les sourcils en essayant de se rappeler leur rencontre précédente puis, abandonnant tout effort de mémoire, il se dit que ce jeune était un cadre de la police affecté à sa protection et qu'il avait tout lieu de s'en féliciter. Il y verrait clair plus tard. Il se détendit quelque peu et retrouva son arrogance en passant devant un mendiant adossé à un des caïlcédrats qui bordaient la rue et qu'il piétina, faisant tomber le large et misérable chapeau de paille que celui-ci portait. Le mendiant,

169

habillé de bandes de cotonnades sommairement assemblées, remit sa coiffure et entendit distinctement : « On devrait débarrasser nos rues de ces déchets humains qui les encombrent. »

Kamaga fit tranquillement son choix. Le vendeur qui s'occupait de lui, un presque nain aux yeux globuleux et au cheveu ras, était aux petits soins pour lui. Pendant que Kamaga signait le chèque, le nain le toisa subrepticement, comme s'il prenait des mesures pour un prochain cercueil. Une déformation professionnelle sans doute. Kamaga sentit le manège et durcit son regard sur le gnome qui répondit par un visage aimable de compassion toute commerciale.

Une fois dehors, une sourde panique s'empara du conseiller du ministre. Il en perdit l'esprit. Il avait le pressentiment d'une menace présente mais impalpable. Il décida de prendre les devants et se mit à défier son ennemi, là, dans la rue, finissant par perdre tout contrôle.

— Qu'il se présente, l'archer ! hurlait-il. Qu'il se présente donc, ce fils de chiens puants ! Je l'étriperai de mes mains. Sors, montre-toi, excrément de chien !

Et il dégaina son pistolet.

« Des insultes ! Il nous insulte ! » murmura l'archer au comble de l'indignation. Cela rejaillissait sur sa famille, sur le clan. Tous les Bassari étaient offensés. Tous les sinistrés de la sécheresse. « Ils nous volent, ils nous maltraitent, ils nous tuent, et maintenant les insultes. »

— C'est vous, les chiens puants ! Toi et tes semblables ! Meurs donc !

L'archer se débarrassa de son chapeau et de ses oripeaux, banda son arc, ajusta la flèche et lâcha la corde dans une série de mouvements coordonnés et très brefs. L'équivalent de quarante kilos de poids tendus à bout de bras. Tout à sa bravade, pensant être protégé par la police, par son gilet et son pistolet, Kamaga ne vit la flèche que lorsqu'elle se ficha dans son œil droit. Il se mit à brailler aussitôt, tira au jugé dans la direction de l'archer. Puis la douleur se faisant insupportable, il tenta d'arracher la flèche et constata avec horreur que cela faisait sortir le globe oculaire sanguinolent de son orbite. Déjà un abondant épanchement de sang et d'humeur aqueuse de l'œil souillaient l'épaule droite de sa veste. Il comprit que c'était très grave. Sa belle assurance s'était envolée. « Emmenez-moi, emmenez-moi vite », suppliait-il. J'ai mal. Mais je suis vivant. Ce fils de chien m'a raté, mais moi je ne le raterai pas. »

Les badauds entouraient le blessé. Son chauffeur le prit aux épaules et le conduisit à la clinique « Mama Rima » toute proche, laissant derrière une traînée de sang sur le bitume. Kamaga gémissait et lançait des imprécations.

Aussitôt après avoir tiré, l'archer prit la direction de Bougosso. Il passa devant l'inspecteur Sarré, qui tira et le rata. Un des policiers en uniforme épaula et appuya sur la gachette. La balle siffla, rata de peu sa cible mais dans sa course, frappa le rasoir effilé d'un barbier installé sur le trottoir à quelques mètres du lieu du drame et qui rasait un client accroupi. Le couteau-rasoir s'envola des mains du barbier et entailla au passage la joue du client qui, ébahi, se redressa d'un bloc et dans ce mouvement cueillit le figaro au menton d'un formidable uppercut de la tête. Le barbier se retrouva les quatre fers en l'air. Le client, lui, la barbe encore sous la mousse savonneuse, les yeux hagards, criait à tue-tête : « La poudre a parlé, la poudre a parlé, sauvons-nous ! » Il prit une direction au hasard, mais rencontra encore rudement le barbier qui péniblement tentait de se relever, tel un boxeur sonné. Le nouveau choc fut encore en défaveur du figaro, K.O. pour le compte. Le client rechangea de direction, obliqua dans une ruelle qui menait au Grand-Marché, le drap du barbier encore au cou, flottant comme une cape. Et toujours répétant : « La poudre a parlé ! La poudre a parlé ! »

La panique créée chez les autres barbiers et leurs clients créa une débandade qui bloqua le premier policier dans sa poursuite.

Juste avant, une seconde balle tirée par le second policier rasa dans un miaulement sinistre le mur de pierres d'un bâtiment administratif tout proche que longeait le fuyard. Atumbi s'engagea dans un étroit passage qui servait de terminus aux cars privés desservant les quartiers périphériques. Une troisième balle siffla au moment où un car arrivait au terminus. Le chauffeur, un gros bonhomme au tricot de corps sans manches, freina brusquement, ouvrit sa portière et sauta directement sur la chaussée sans se servir du marche-pied. Les passagers avaient, de leur côté, sauté du véhicule par toutes les issues possibles. Le conducteur, la panse découverte sous le tricot trop court, tenta de passer entre son auto et le kiosque à pain qu'il avait failli emboutir quelques instants auparavant. Mais il y renonça en raison de l'exiguïté du passage. Il se hasarda alors à se coucher sous son véhicule, mais là, ça affichait complet et on le repoussa sans ménagement. Le passage du terminus était ainsi bouché par un car dont les passagers avaient trouvé abri sous le plancher.

L'archer avait dépassé cet endroit juste la seconde d'avant. Il arriva plus loin à un attroupement de femmes en habits de fête, qui attendaient d'embarquer pour un mariage. Avant de prendre le car qui leur était affecté, elles se donnaient un avant-goût des réjouissances. Les tam-tams jouaient. Des femmes dansaient dans un cercle pendant que d'autres claquaient des mains. A la vue de l'archer, portant un court pantalon bouffant, arc à la main, les bruits décrurent puis cessèrent. On comprit vite la scène. Ici, avec les battements de tam-tams on n'avait pas entendu les coups de feu, mais cet homme qui fuyait ne pouvait être que cet archer dont on parlait aussi bien dans les bidonvilles que dans les demeures de luxe. Qui pouvait-il fuir sinon la police ? On s'écarta pour le laisser passer. Une femme, enthousiaste, lui souleva le bras : « Il y a encore des hommes qui en ont », cria-t-elle dans une chanson improvisée à sa gloire. Quand les policiers débouchèrent, après un laborieux faufilement entre le car et le kiosque, les danseurs reprirent leur cercle. La ronde se fit plus compacte. Les policiers tentèrent de se frayer un passage dans le groupe. On se serra encore plus. L'étroite rue, bordée de hauts murs, était totalement occupée. Les tam-tams accélérèrent leurs rythmes, les claquements de mains se firent plus secs et les chants dédiés aux « hommes qui sont encore des hommes » se firent plus vibrants. Rien que quelques mètres avant d'entrer à Bougosso. Il en voyait les premières baraques comme à portée de main. « Avant la nouvelle lune ». Il leva la tête. Là dans le ciel crépusculaire, le disque rond et froid de la lune se dégageait des nuages. La pleine lune ! Elle était là. « Entrer à Bougosso à tout prix ! » Un coup de feu claqua. Atumbi trébucha. La balle s'était logée dans l'épaule gauche. Il porta la main à la blessure pour l'empêcher de trop saigner. Des jeunes gens du quartier, témoins du drame, lui indiquèrent de la voix et du doigt un passage sûr. Il s'y engouffra. Une dernière balle siffla. Mais la nuit était tombée, d'un coup, complice.

20

Le vétérinaire poussa l'amabilité jusqu'à déposer Simon devant la maison des Lomo. Une maison unique en briques et couverte de tôles occupait la moitié de la cour. Les murs avaient un sérieux besoin de crépissage.

Simon entra et salua. Une femme de près de vingt-trois ans apparut sous la véranda dans le voile indigo qui sert traditionnellement de tenue de veuvage. C'était madame Lomo. Elle détailla avec perplexité le jeune homme et répondit à son salut avec un léger retard. Ils étaient distants de deux mètres. Le journaliste s'approcha d'un pas, la jeune femme recula d'autant. Elle se saisit d'une lampe-tempête et en augmenta la luminosité. Deux enfants, un garçon et une fillette, sortirent de la pièce et se blottirent contre leur mère qui leur caressa la tête et les renvoya dans la chambre.

Simon savait que pendant les quarante jours du veuvage sous le voile, une femme ne devait en aucun cas se trouver seule à seul avec un homme adulte. Mais il se demanda si c'était le fait qu'il fut un homme ou d'être simplement un inconnu qui expliquait l'attitude méfiante de la femme.

— Madame, j'imagine votre douleur dans de telles circonstances et vous présente mes condoléances. Mon nom est Simon Dia et je suis journaliste. Je vous prie de m'excuser de cette intrusion chez vous à une heure aussi peu propice aux visites.

— Je vous remercie pour vos condoléances, M. Dia,

répondit-elle d'une voix neutre. Vous comprendrez que je ne puisse vous recevoir tant que je ne sais pas l'objet de votre visite. Vous comprenez, je suis une femme seule, en période de veuvage et vous, vous êtes un homme, inconnu pour moi.

Le journaliste exposa alors clairement le but de sa visite. Il parla de sa mission et de son voyage à Oniateh. Voyage qui l'avait conduit à elle. Elle consentit alors à lui offrir un siège. La mort de son mari, les circonstances qui lui avaient fait abandonner sa famille étaient pour elle autant de mystères dont elle voulait des éclaircissements. Elle pensa que Simon était assez informé pour l'informer à son tour.

— Il y a neuf ans, madame, votre mari a reçu trois villageois bassari d'Oniateh. Puis il est monté à Kionda avec eux. Deux autres Bassari envoyés par le village sont passés par ici et ont rejoint la capitale eux aussi. Madame, il a été établi par les habitants d'Oniateh que votre mari et les cinq émissaires ont détourné l'argent destiné à l'achat de vivres de survie. Ce détournement a causé, d'après les villageois, la mort de dizaines de Bassari dont de nombreux enfants.

— Mon mari aurait fait ça ? s'écria-t-elle. Mon mari assassin ? Dites-moi que ce n'est pas vrai !

— Je n'ai pas de preuve matérielle. Mais j'ai entendu des témoignages venant de gens sérieux...

— Un assassin ! dit-elle et elle éclata en sanglots.

« Ça va mal », se dit le journaliste gêné. Il se leva et resta un moment stupide, les bras ballants, inutile. Puis il s'approcha d'elle. La consoler ? Comment ? Cette entrevue débutait mal. Et lui qui ne voyait qu'une petite entrée en matière ! Il ne pouvait deviner qu'elle ignorait les activités de son mari. Les enfants, entendant leur mère pleurer, se joignirent à elle. Devant ces flots de larmes, Simon se sentit dépassé par la situation.

— Je suis désolé, madame.

La femme poussa de nouveau les enfants vers la chambre et revint après qu'ils se furent tus.

« Si je pleure, dit-elle en s'essuyant les larmes, c'est pour les enfants. J'aurais voulu qu'il ne leur arrive jamais un tel malheur : un père assassin d'autres enfants. C'est odieux. Odieux. Je le savais cupide et malhonnête mais je ne pouvais imaginer qu'il en arriverait là pour de l'argent. Je comprends maintenant pourquoi il ne m'a jamais dit d'où lui venait tout cet argent subit et aussi pourquoi il ne voulait plus de moi. Car il savait que jamais je n'ai cautionné ses activités louches.

Elle asséchas ses larmes avec un pan de son voile.

— Monsieur Dia, vous m'avez tirée de l'ignorance des événements concernant mon mari, je vous en remercie. Que puis-je faire pour vous ?

Simon se ressaisit et demanda :

— Que s'est-il passé quand les trois premiers envoyés sont arrivés ici ?

La jeune femme fouilla dans ses souvenirs.

— Les trois premiers étaient Anyari Wétémé, Yiragne Lukuta et Amango Bady. L'un d'eux portait un objet dans du linge, c'était Anyari, je crois. Je n'ai jamais su la nature de cet objet d'autant qu'ils avaient l'air mystérieux et étaient méfiants. Mon mari les a reçus en apparté et ils ont longuement discuté en bassari, langue que je ne comprends pas, n'étant pas moi-même bassari, mais mandingue. A la tombée de la nuit, ils sont sortis sans me dire où ils allaient. Ils sont revenus tard dans la nuit en chantant comme des ivrognes. Le matin, je les ai trouvés tous les quatre affalés sur des nattes de la véranda et dormant en ronflant fort. Ce qui m'a fait comprendre qu'ils s'étaient soûlés la veille à la *dibiterie* de Mahamé que fréquentait mon mari. A leur réveil, ils ont pris le déjeuner. Puis mon mari a fait sa valise, y a mis l'objet toujours enveloppé et qui n'avait pas quitté Anyari puisque celui-ci l'avait dans sa besace accrochée en permanence à son épaule et qu'il tenait serrée contre lui. Mon mari m'a expliqué qu'il montait à la capitale avec ses cousins pour régler une affaire importante et que nous nous installerions là-bas si cette affaire marchait. Il ne devait plus revenir dans cette maison. Je ne sais pas ce qui s'est passé à Kionda. Je sais seulement que quand je suis allée le chercher, j'ai trouvé qu'il s'était enrichi et qu'il ne voulait plus de moi.

— Est-ce que les deux autres envoyés sont passés par ici ?

— Oui, juste pour me poser la question sur les trois premiers envoyés. Ils sont aussitôt montés à Kionda. Ces deux-là s'appelaient Andekudy Kororo et Olakhan Lukuta.

Il ne restait plus à Simon qu'à prendre congé et à aller voir à la « dibiterie » de Mahamé. Il se leva.

— Monsieur Dia...

— Oui, madame ?

— Si vous rentrez à Kionda, pourriez-vous faire une commission pour moi ?

— Certainement.

— Monsieur Dia, vous allez trouver sans doute étrange que je parle comme ça pendant mon veuvage. Je pense maintenant plus que jamais à l'homme que j'aime depuis les bancs de l'école, mais que je n'ai pu épouser parce que mes parents avaient décidé autrement. Ils m'ont donné à Lomo. J'avais à peine treize ans. Le premier enfant est venu l'année d'après et à cause de lui je me suis résignée. Je n'ai d'autre attachement pour Maka Lomo que celui dicté par le devoir. Mais c'est Djiby que j'aime. Je voudrais tant le revoir. Pourrez-vous lui transmettre un message ?

— Je trouve votre désir de revoir l'homme de votre vie tout à fait légitime. Je suis sûr qu'il vous donnera le bonheur que vous attendez depuis une dizaine d'années. Quel est son nom ?

— Il s'appelle Djiby Sarré. Je sais qu'il a fait l'école de Police et qu'il travaille à Kionda mais je ne sais pas exactement où.

— Je connais l'inspecteur Sarré. Il travaille avec un de mes amis. Ce sera facile de le voir et de lui communiquer votre message.

Sous le hangar couvert de chaume et enfumé qui lui servait de *dibiterie*, Mahamé s'affairait entre la viande qu'il découpait sur des quartiers entiers d'animaux et le grill au feu de bois sur lequel il jetait les morceaux découpés... Trois adolescents vêtus d'habits fortement maculés remuaient la viande sur le feu, servaient les clients et ramenaient aussitôt les recettes. Le patron des lieux, biceps saillants sous les mouvements du couteau, échangeait salutations et plaisanteries avec les habitués. Quand il vit Simon entrer, il se ferma, méfiant. Il répondit du bout des lèvres au salut du nouveau venu et lui dit de s'adresser à un des serveurs. Mahamé se méfiait comme de la peste des contrôleurs, qu'ils fussent du service des impôts ou du service d'hygiène. Ces gens se camouflaient souvent dans la peau de clients anonymes. Alors il se méfiait des clients nouveaux, surtout ceux qui avaient l'air trop poli. Il ne se déridait que lorsque le nouvel arrivant échangeait un salut avec un des habitués.

Ce qui ne fut pas le cas pour Simon. Mais malgré la fraîcheur de l'accueil, il s'approcha de l'homme toujours occupé à trancher la viande.

« Quelle tête ai-je donc pour mériter une telle méfiance ? se demanda le journaliste. Peut-être ai-je une tête de fouineur et les fouineurs, on s'en méfie sous toutes les latitudes. » Il décida de biaiser.

— Je suis un frère de Maka Lomo. Je viens de Kionda.

— Maka Lomo ne m'a jamais dit qu'il avait un frère dans la capitale, répondit Mahamé, soupçonneux. (Il héla un client.) Hé, Badara, tu as jamais entendu parler du frère de Maka vivant à Kionda ?

— Je n'en sais rien, dit l'habitué. Maka était dans toutes les combines. Ça ne m'étonnerait pas qu'il se soit fait des frères par alliance quelque part. Ça fait des années qu'on ne le voit pas.

— Justement, enchaîna Simon, nous ne l'avons pas vu depuis longtemps nous aussi dans la famille. Il a disparu comme ça. Nous ne l'avons pas vu depuis le lendemain du jour où il est passé ici. (Tout en parlant, il faisait son choix dans un tas de viande filandreuse.)

— D'accord, on ne l'a pas vu depuis cette nuit-là, dit le grilleur de viande, redevenu méfiant, mais en quittant ici, il avait rejoint son domicile. Et c'est par la suite qu'il a disparu. Badara qui est ici peut en témoigner. N'est-ce pas Badara ?

— Exact.

Le commerçant jeta un œil sur Simon et se rassura. Puisque ce jeune homme ne s'intéressait qu'à un de ses clients, c'est qu'il n'était pas un contrôleur. Il n'avait pas l'air d'un policier non plus car même en civil, ceux-ci ne le trompaient pas. Mais alors qui était-ce ? Pressé d'en finir, il parla de la fameuse nuit.

— Maka Lomo est venu ce jour-là avec trois de ses cousins du village. Ils ont commandé de la viande grillée. Les trois villageois avaient un appétit qui en disait long sur leur régime alimentaire des jours précédents. Ces gens n'avaient pas mangé de viande depuis des mois. Et quelle soif ! Ils ont arrosé le tout à la bière. Je crois bien que Maka a laissé ce jour-là le tiers de son salaire ici.

Et d'éclater de rire. Se rendant compte ensuite qu'il venait de commettre une gaffe, il s'arrêta de rire, coupa un morceau de viande et s'entailla un doigt. Contrôleur ou pas, il n'était pas question d'étaler ses recettes devant des inconnus.

— Le tiers ? Non. (Il se suça le doigt.) Je veux dire qu'il en a tellement pris avec ses invités qu'il aurait dû payer une telle somme. En réalité je lui ai fait une remise importante et il a signé un bon. Il m'a dit qu'il partait le lendemain à Kionda et qu'il reviendrait riche et qu'alors il me paierait sa dette.

— Il a dit ça ?

— Oui, et il avait l'air très sûr de ce qu'il disait.

— J'ai fait une partie du trajet avec eux sur le chemin du retour, intervint le nommé Badara. Eh bien, ils chantaient à tue-tête leur joie d'être bientôt riches.

Assis sur un banc sale, Simon reçut sa viande grillée. Il n'y avait que des nerfs, des tendons, des os. Il ne put rien manger, sortit et se dirigea vers le petit hôtel de la gare. A peine sorti de chez Mahamé, il fut abordé par un enfant.

— Tu as ma photo ?

C'était le petit garçon de la veille à la gare.

— Qu'est-ce que tu fais là en pleine nuit ? Tu devrais être couché. Il est presque neuf heures.

— Je t'ai vu entrer à la *dibiterie*, dit l'enfant. J'ai voulu te suivre mais on m'a empêché d'y entrer. Alors te t'ai attendu ici.

— Mais pourquoi faire ? Je suis occupé.

— Pour t'amener à la maison. Je voulais que tu manges chez nous et non pas chez Mahamé, avec ses viandes pourries. Il vend la viande des animaux écrasés dans la rue. On dit même qu'il y a vendu de la viande de chien. Et puis il va en brousse avec son camion acheter aux paysans et aux bergers des animaux mourants de faim à bas prix et il revient vendre cher leur viande. Viens à la maison. Maman est là-bas.

— Mais est-ce que ta mère est prévenue que je viens ?

— Oui.

— Et ton père ?

— Mon père conduit des trains. Il ne viendra que demain.

L'enfant et sa mère habitaient près de la gare. La mère n'avait été nullement avertie de l'arrivée d'un étranger mais elle se fit un point d'honneur à offrir l'hospitalité à Simon. Elle lui prépara à manger et refusa l'argent qu'il lui offrait en compensation.

Comme ensuite il voulut aller à l'hôtel, elle lui affirma que les chambres s'y étaient infestées de punaises et qu'il était préférable de rester pour passer la nuit.

Le lendemain matin, après un petit déjeuner pris dans la bonne humeur, il fit des photos avec son hôtesse et l'enfant. Il prit congé et se rendit à la gare pour y attendre le départ du train du retour.

Sur le quai, il fit une rencontre qui fut loin de le combler de joie. Emangi était là qui l'attendait. Il tenta de se cacher, mais elle l'avait déjà vu et vint vers lui.

— Je suis venue pour que tu m'amènes, dit-elle simplement comme s'ils n'en avaient pas parlé et comme si cela allait de soi.

« Quelle tête de mûle ! » pensa-t-il.

— Mais est-ce que tu imagines seulement l'enfer de la capitale ?

— L'enfer de la capitale est plus supportable que l'enfer du village. Au village, nous n'avons rien. On ne mange pas parce qu'il n'y a rien à manger. On ne peut pas se distraire à cause du deuil permanent. On ne peut pas travailler parce qu'avec la sécheresse, il n'y a rien à faire. Je préfère la ville.

— Tu as raison. Eh bien, je suis là moi, ici en ville.

Le charretier s'approcha, tirant âne et charrette.

— Bonjour patron, dit-il. Tu me donnes ta sœur en mariage ? J'en suis tombé amoureux sitôt que je l'ai vue.

Blague ou pas, Simon était soulagé par cette arrivée.

— Ma sœur coûte cher en dot. Pas moins d'une génisse.

L'ânier sembla le prendre au mot.

— Désormais je travaillerai pour acheter une génisse. Je me lancerai dans la vente de barriques d'eau. C'est très fatiguant mais c'est payant. Et puis que ne ferais-je pour épouser cette gazelle ?

Interloquée, Emangi regardait le charretier.

— Alors pour commencer, poursuivit Simon, tu dois aller au village demander sa main au vieux Tendi.

— J'y vais de ce pas. Monte sur la banquette, fit le charretier en direction de la jeune fille.

Le train siffla. Le charretier essaya d'aider Emangi à monter dans son véhicule mais, d'un geste brusque, elle se dégagea de son contact.

— Lâche-moi ! Je ne t'aime pas ! Je ne veux pas être ta femme.

L'homme éclata de rire.

— C'est gagné, dit-il au milieu des éclats. C'est bon signe qu'elle refuse d'abord. Et une femme qui dit non avec une telle force dira oui avec une force supérieure. Au revoir patron, fit-il vers Simon comme le train s'ébranlait.

Emangi écrasa une larme et monta tristement dans la charrette.

— Hue ! Direction Oniateh-nouveau, cria le charretier à son âne.

Et au rythme lent de sa bête et des grincements d'essieux mal graissés, il narra la fable de l'iguane et du chien.

— Un jour l'iguane dit au chien : « Grand frère chien, tu es bien considéré par les gens du village. Je veux quitter ma brousse et aller avec toi au village. » Le chien dit : « Oh, petit frère iguane, il n'en est rien. » L'iguane dit : « Malgré tout je vais avec toi. » Alors le chien dit : « Dans ce cas, je veux bien, mets-toi sur mon dos. »

L'iguane s'aplatit sur le dos du chien. Le chien alla au village et là il mit sa gueule dans la jarre servant de réservoir d'eau aux femmes et se mit à lapper. Une femme lui porta un formidable coup de pilon sur l'échine. Il s'échappa d'un bond. L'iguane dit : « Grand frère chien, qu'est-ce que cela signifie ? » Le chien répondit : « Ce n'est rien, je ne faisais simplement que boire. »

Il s'en alla, pour le caresser, poser sa patte boueuse sur les habits bien propres d'un étranger. Sacrilège ! On lui donna un violent coup de cravache sur le dos. Il se sauva. L'iguane dit : « Grand frère chien, tu n'es donc pas aimé des villageois ? » Le chien répondit : « Ne sois pas trop impatient, je ne fais qu'entrer dans le village. »

Le chien s'enfuit donc et atteignit des écuelles contenant des mets destinés aux hommes. Il y mit sa gueule. Les hommes lui assénèrent des coups répétés sur le dos. L'iguane dit : « Grand frère chien, je veux retourner dans la brousse. » Le chien lui dit : « Prends patience un peu. »

De là il alla prendre un gigot qui appartenait à des bouchers. Un boucher lui porta un méchant coup de couteau sur le dos. Le chien lâcha la viande et se sauva.

L'iguane blessé fit un saut et dit : « Grand frère chien, je m'en vais dans ma brousse. Reste ici avec ton "estime" et les prétendus bienfaits et abondance du village. En fait c'est la méchanceté et l'égoïsme qui y règnent. Adieu. »

Sur ce l'iguane disparut dans la brousse.

A la fin du conte, le charretier jeta un coup d'œil sur Emangi qui ne semblait pas intéressée par le récit et regardait de côté les broussailles desséchées du bord de sentier.

— Tu cherches sans doute à y voir l'iguane, dit-il. (Et de tirer la philosophie de sa fable.) Oui, l'iguane a raison. Nous sommes mieux ici dans notre brousse. En ville, c'est l'individualisme, la fausseté, la méchanceté. Et ceux qui n'y sont pas nés n'y rencontrent que misère. Nous sommes bien dans notre cadre. Restons-y et luttons contre les maux que nous connaissons bien que sont les calamités naturelles et laissons à la grande ville les grandes maladies de l'âme humaine.

Le regard lointain, Emangi laissait couler ses larmes.

Dans le train, Simon eut une pensée pour la jeune fille et se prit à souhaiter qu'elle fut heureuse avec le charretier. Puis il essaya de l'oublier en regardant le paysage. Mais avec la désolation du cadre, il préféra se plonger dans ses notes. Il récapitula. Le puzzle se formait. Il y voyait de plus en plus clair. Mais trois questions restaient sans réponse. Que s'est-il passé quand Maka Lomo et ses trois compagnons sont arrivés à Kionda ? Qui protégeait l'archer ? Car il bénéficiait d'une protection sûre qui lui avait évité jusqu'à présent les embûches de la police. Il avait là-dessus sa petite idée mais ce n'était qu'une présomption. Enfin dernière question : comment tout cela allait-il se terminer ?

21

Sanko Kamaga subissait les affres de l'agonie. Il sut que la flèche était empoisonnée quand les médecins se déclarèrent impuissants à arrêter l'hémorragie. Il savait que l'antidote se trouvait à Oniateh et seulement là. Une autre peur le saisit, plus poignante que celle de la mort. C'était la damnation, l'interdiction à son âme de pénétrer dans le village et le châtiment suprême : rejoindre les mauvais esprits de la brousse contre lesquels les vivants déversent quotidiennement imprécations sur malédictions. Alors il pensa à sauver son âme, en se confessant. En reconnaissant ses fautes, en dénonçant celles de ses complices et en léguant tous ses biens au village, peut-être aurait-il une chance de se racheter.

Quand le commissaire Mbaye entra dans la chambre d'hospitalisation, un infirmier changeait le pansement sanguignolent de la tête. Il le faisait toutes les demi-heures et remplaçait les flacons de sang suspendus au-dessus du malade et qui constituaient son seul lien avec la vie. Mais bientôt un deuxième élément du poison entrerait en action pour l'achever. Kamaga eut un mot de reconnaissance pour l'infirmier qui sortait. Il tourna vers Mbaye son unique œil qui avait déjà de la peine à rester ouvert.

— Je vais vous dicter mon testament commissaire, et vous raconter tout. Je ne passerai pas cette nuit, je le sais.

Kamaga signa le papier sur lequel Mbaye avait pris

ses dernières volontés puis, suant et gémissant, la voix de plus en plus faible, il entreprit de faire ce que Mbaye considérait comme une déposition.

« C'était il y a neuf ans. Le village avait envoyé trois jeunes gens de vingt-cinq ans vendre l'Idole d'or à Kénédou et acheter des vivres, du petit matériel agricole et des semences. Ces jeunes gens étaient Yiragne Lukuta, Anyari Wétémé et Amango Bady. A Kénédou, ils ont vu Maka Lomo qui devait les aider dans leur mission. Maka Lomo les a convaincus de monter à la capitale où ils tireraient un meilleur prix de la statuette. En effet, à Kionda les acheteurs ne manquaient pas. Bijoutiers, antiquaires, collectionneurs ont surenchéri et Maka a fait une bonne affaire en jouant sur la demande. Mais au village, on n'avait plus aucune nouvelle d'eux. Cela a duré deux semaines. Inquiets, affamés les villageois nous ont envoyés, Andékudy Kororo et moi Olakhan Lukuta, cousin de Yiragne pour voir ce qui se passait. Cette mission nous avait été confiée parce que nous étions d'une classe d'âge supérieure et avions reçu une instruction élémentaire à l'école. On pensait que nous nous débrouillerions mieux en ville que nos cadets... A Kionda nous avons fait les "dibiteries" et les bars clandestins car c'étaient les lieux favoris de Maka. Quand nous l'avons finalement trouvé, il mangeait des brochettes dans un bar à vin. Il avait l'air d'être financièrement à l'aise car il nous a invité et nous a fait manger force brochettes. Pendant trois jours c'était la fête pour nous. Nous mangions et buvions comme nous ne l'avions jamais fait, même au cours des plus grandes réjouissances du village. Puis il nous informa qu'il avait bien vendu l'Idole d'or et nous proposa une affaire intéressante. Nous étions tellement grisés par ces jours d'enchantement que nous étions prêts à écouter toutes ses propositions. Il nous a donc expliqué qu'au lieu d'acheter des vivres, qui finiraient sans laisser de trace, il valait mieux se lancer dans le commerce avec l'argent de la statuette et on rembourserait en envoyant chaque mois des vivres au village. Nous avons tous les cinq approuvé son projet. Personne ne voulait retourner au village et retrouver la misère et son cortège de privations.

L'argent partagé, chacun s'est installé à son compte. Nous avions prévu qu'on nous rechercherait. Alors nous avons changé de noms. Maka Lomo s'est fait appeler Sérigne Ladji. Yiagne Lukuta est devenu Badou Traoré. Andékudy Kororo, qui à un moment de sa jeunesse avait fait du catéchisme, a pris des pièces d'identité au nom de Papa André Koh. Solo Dombo a remplacé Anyari Wétémé. Amango Bady a changé son nom en Baga Besso. Et moi-même, Olakhan Lukuta, je me suis fait appeler Sanko Kana.

Anyari (Solo Dombo) avait été chargé par le groupe de l'achat et de l'envoi des vivres au village. Il apprit qu'il était avantageux de s'adresser à l'Office de stockage des céréales et de revendre sur le marché les grains acquis à bas prix grâce à des combines. Il traita avec cet Office et finalement y entra et se hissa jusqu'à la Direction générale... Mais il n'avait pas envoyé un seul grain au village. Nous le savions mais personne ne s'est proposé à sa place, personne n'a soulevé la question, occupés que nous étions tous à gagner de l'argent, à chercher des places juteuses dans l'Administration et à profiter des douceurs de la vie citadine.

Il y a six mois, un jeune Bassari qui travaillait dans la capitale avait trouvé notre piste. Nous avons tenté de le corrompre en lui proposant un important capital pour se lancer dans les affaires. En vain. Il a tout rejeté et s'en est tenu à sa mission : ramener à Oniateh l'argent de l'Idole ou l'Idole d'or elle-même. Au bout de quelques jours de discussions infructueuses, il a complètement disparu... »

22

— Alors, commissaire Mbaye, l'archer est-il mort ?
(L'intonation de la « Voix » s'était plutôt radoucie
dans l'écouteur.)

— Nous le croyons, répondit Mbaye. Ce matin mes
hommes ont décelé une traînée de sang qui menait à
Bougosso. Il a perdu beaucoup de sang, il ne peut avoir
survécu.

— Avez-vous pensé à récupérer son corps ?

— J'ai envoyé deux hommes voir discrètement sur
place, mais vous savez, Bougosso est grand. Ce qu'il
faudrait c'est une opération de ratissage. Or vous savez l'effet que provoque l'uniforme dans ce quartier
miséreux prêt à la révolte. La présence d'une escouade
de policiers y mettrait le feu aux poudres.

— Hem... Hemm...

— Mais...

— Mais ?

— Je veux dire que je suis en mesure d'affirmer
que l'archer a tué sa dernière victime et n'inquiétera
plus la ville.

— Vous avez neutralisé un archer, et s'il y en avait
d'autres ?

— Il n'y avait qu'un seul archer. Et ce qui me fait
croire à la fin de l'affaire, c'est qu'il s'agissait d'un
règlement de compte. En effet, c'est la conclusion à
laquelle je suis arrivé.

— Sûr ?

— Oui.

— Alors faites-moi un rapport complet sur cette affaire et transmettez-le à votre supérieur hiérarchique. Il me parviendra par les voies habituelles.

— A vos ordres !

Mbaye raccrocha et se tourna vers l'inspecteur Sarré qu'il avait convoqué à son bureau. Sarré, assis, attendait patiemment.

— Eh oui, lui dit Mbaye, j'ai conclu à un règlement de compte entre politiciens d'affaires rivaux. En fait il s'agit de tout autre chose. Mais avec la thèse du règlement de compte, on ne cherchera pas en haut lieu à aller plus loin, car ce genre de problèmes crée de graves remous dans le monde de la politique et des affaires, deux catégories qui s'imbriquent étroitement. Les déchirements, les différends doivent se régler entre eux. Les choses se passent à l'ombre, à l'insu du public et des diplomates étrangers.

Mbaye prit le temps d'une pause, observa brièvement Sarré qui ne disait mot et poursuivit :

— Diallo et Ndiago ont abattu Dangala la nuit dernière dans un échange de coups de feu au bar de l'Oasis. Dangala avait un vaste plan de consolidation de son gang et ceci en collaboration avec certains notables. Son domaine, c'était le proxénétisme, la drogue et la contrebande. Je lui mettrai tout sur le dos. Ses complices, c'est-à-dire ceux de sa bande, et les affairistes de moindre importance genre Mamba Noir accepteront ce marché car cela leur permettra de s'en tirer relativement à bon compte. Autrement cela pourrait être très grave pour eux. Alors on organisera un procès bâclé des lampistes, un procès qui ne fera pas de vagues.

Sarré écoutait poliment, mais sans montrer d'émotion particulière. Son grand corps athlétique faisait face à l'embonpoint naissant de son supérieur. Mbaye reprit :

— Ces derniers temps, Dangala, Mamba Noir et la dame Sita Dinta — sous les verrous elle aussi — avaient développé leur entente pour contrôler le marché de la prostitution et de la drogue. Avec la sécheresse, ils avaient de la matière : les jeunes filles chassées de la campagne, pour la prostitution, et les jeunes ruraux de l'exode, pour les coups. La bière dénigrée, la petite amie détournée, ou le serpent invoqués comme causes de désaccord étaient des prétextes qui cachaient des affrontements sanglants de proxénètes pour le recrutement des filles et la répartition des territoires réservés en ville. Ils ont tout avoué. Koloba y a été un peu fort, mais le résultat a été concluant. Ainsi Sita Dinta et Sérigne Ladji s'en voulaient à mort parce que Ladji avait réussi à débaucher plus de la moitié des filles du bar de la dame et il avait pris à Badou Traoré une maquerelle du nom de Abia pour gérer son cheptel grossissant. Or Abia et Traoré travaillaient ensemble. Elle a préféré aller avec Ladji parce qu'il lui offrait un pourcentage intéressant. D'où des raisons, en plus d'anciens différends, pour Traoré de vouloir éliminer Ladji.

Sarré écoutait, sans parler ni bouger. Mbaye continua :

— Et ton enquête a établi, dit-il à Sarré, que par exemple la nuit de la mort de Ladji, Abia avait fait venir la petite Kandimi, débauchée du bar de l'Oasis, et l'avait présentée à son nouvel associé. Ce dernier devait « essayer » la nouvelle recrue et lui attribuer une note, un endroit précis et des clients. Et au cas où elle passerait bien ce premier examen, il lui offrirait un cadeau en argent et lui ferait la promesse de gains qui devaient la décider à rester dans le cheptel Ladji-Abia.

Sarré sourit, par politesse, sans plus.

— Mamba Noir escroquait Papa André Koh, poursuivit Mbaye... Ils étaient associés dans le temps mais s'étaient sérieusement brouillés bien avant la mort de Koh. Voilà comment se concrétisait leur entente : le Directeur de l'aide aux Désespérés ramenait de ses tournées dans les régions sinistrées des filles auxquelles il promettait aide et travail en ville mais qui invariablement se retrouvaient au bar de Mamba Noir. Ce dernier ne versait plus depuis des mois les pourcentages fixés d'un commun accord. D'où l'affrontement avec Koh.

Là où Bango Besso entre en scène, c'est lorsque Solo Dombo a eu des vues sur ses gargotes qu'il voulait s'approprier. Il tenta d'asphyxier le gargotier en refusant, en tant que responsable du stock des céréales, de lui vendre du riz. Ce qui revenait à le condamner à long terme. Besso tenait encore en s'approvisionnant sur le marché noir du marché noir à prix forts. Dombo, lui, ouvrait des gargotes qui concurrençaient celles de Besso. C'est alors que Besso imagina que le meilleur moyen de l'emporter était la nomination d'un nouveau directeur du Stockage de céréales. Donc Dombo devait mourir.

Sanko Kamaga, lui, s'était essayé à l'import-export. Quant on sait que Dangala travaillait avec des grossiums pour préserver ce domaine juteux, où les spécialités et les quotas sont fixés une fois pour toutes, on comprend qu'il ait été gênant.

Mbaye ramassa les feuillets de papiers qu'il venait de consulter, les rassembla et les mit de côté.

— Voilà, dit-il, les éléments de dossier que toi, Prosper Diallo et Marou aviez constitués, avec l'aide inestimable de Kolo et de Mélanie. Ce sont des éléments tirés de la réalité. Maintenant, il va falloir que tous ces gens s'entretuent pour étayer notre thèse du règlement de compte. Ce n'est pas compliqué, je crois : nous supposons que Dangala a voulu agrandir son fief et il a commencé à éliminer ceux qui pouvaient le gêner et du même coup il a aidé ses amis et ses associés à se renforcer en se chargeant de liquider leurs ennemis. Sa récente commande de flèches tombe bien à propos. C'est lui-même qui aura perpétré les assassinats. Comme ça l'archer, le vrai, retourne sans inquiétude en pays bassari. (Il avait marqué un net changement de ton à cette phrase.)

Sarré se leva soudain de sa chaise.

— Non, reste assis, lui dit son chef. J'aurais pu te faire arrêter dès ton entrée dans ce bureau.

— Non, vous ne pouvez pas le faire, s'exclama Sarré. Parce que vous aussi serez arrêté. On vous accusera aussi de complicité. Et il sera facile de le démontrer, avouez qu'il y a des indices troublants contre vous.

— Oui, je ne l'ignore pas, dit calmement Mbaye. Comment aurais-je pu soupçonner un si proche collaborateur ! Tu étais présent à chaque meurtre. Tu étais ici à la permanence du dimanche quand Traoré est mort. Donc c'était toi qui étais responsable du commissariat ce jour. Je me rappelle que tu me l'avais demandé exprès la veille. Badou Traoré est mort devant l'immeuble Kabré. Et l'immeuble Kabré se trouve dans notre secteur. Tu as assisté aussi au match de lutte à l'issue duquel Koh a été mordu par un serpent. Tu tenais à voir ce match et tout le monde trouvait ça légitime. Par ailleurs, après la mort de Solo Dombo, on a entendu le bruit d'une voiture qui s'éloignait de l'Office de stockage des céréales... Le gardien de l'Office, qui voit chaque jour entrer et sortir des dizaines de véhicules, a désigné pour ce bruit de moteur un type de voiture qui est exactement celui de ta voiture. Quant à Besso, tu savais qu'il se rendait chaque semaine chez Boli Mans à jour fixe. Et avant le meurtre tu t'es rendu chez lui pour bien t'assurer qu'il irait bien à son rendez-vous hebdomadaire chez le féticheur. Pour Kamaga, c'était simple. Quand il a demandé la protection de la police du neuvième secteur parce qu'il devait venir y faire une commande au magasin funéraire, tu t'es porté volontaire pour assurer cette protection. J'avais mis cela sur le compte du zèle professionnel.

Malgré toutes ces charges qu'il relevait, Mbaye parlait en restant calme, comme s'il causait simplement avec son subordonné. Sarré était étonné de ne déceler aucun ressentiment de son chef contre lui. Il semblait assister à une exposition neutre de faits.

— Pour ma part, continua Mbaye avec toutefois une nuance de regret dans la voix, je reconnais avoir commis deux fautes professionnelles graves qui pourraient effectivement être retenues contre moi pour peu qu'on les relève. D'abord, je n'ai pas accordé l'importance qu'il fallait à la déclaration de la femme qui disait être l'épouse de Maka Lomo, nom véritable de

Sérigne Ladji. Maka Lomo était un Bassari, j'aurais dû chercher à le savoir. Ensuite, le vieux Sambou m'avait dit que la flèche était bassari. C'était contraire à l'évidence à première vue, mais mon flair aurait dû me conseiller de garder au moins cette piste en réserve au lieu de l'abandonner. Par conscience professionnelle, j'avais fait faire une contre-expertise qui a été négative. Ce sont là les indices que tu pensais retenir contre moi pour me dissuader de t'arrêter. Mais il en est un autre, capital, que tu ignores. C'est que je suis né à Kénédou et y ai grandi. Je ne suis pas Bassari mais mon père avait été envoyé de Kionda pour enseigner à Kénédou. Tout s'est gâté quand il a décidé d'épouser une femme bassari qui attendait un enfant de lui. Ma mère s'y est vivement opposée et a obtenu en quelques jours auprès d'un oncle de l'Administration la mutation de mon père dans une autre région. Je ne revis Kénédou qu'après avoir obtenu mon diplôme de commissaire. En effet, j'avais demandé d'y effectuer mon stage pratique. Alors avec ce passé et cet amour du pays bassari, il serait facile d'accréditer ma complicité dans une affaire impliquant des Bassari...

Sarré regarda son supérieur et le trouva subitement plus sympathique, plus proche, presque fraternel.

— Vois-tu Djiby, en fait, inconsciemment, je ne voulais peut-être pas arrêter l'archer. J'avais vaguement l'intuition qu'il faisait œuvre de salubrité publique au vu de ses victimes. Je suis un mauvais flic, sans doute, mais quand j'ai opté pour le métier de policier, je pensais servir le peuple. Et je me suis rendu compte qu'on se servait de moi au contraire pour mater le peuple et protéger ses pires ennemis. Beaucoup de cadres de la police n'ont pas cet état d'âme. Ils ont choisi leur camp, au détriment des légitimes bénéficiaires. Toi, tu es allé plus loin que moi dans ta remise en question de ta profession puisque tu as clairement pris à contre-pied la mission qu'on te fait faire d'habitude.

Cette dernière phrase ramena Sarré aux réalités.

— Qu'allez-vous faire de moi ? demanda-t-il.

Mbaye tira une enveloppe du tiroir.

— J'ai décidé de te muter. Je t'envoie à Kénédou, en pays bassari. Tu y seconderas le commissaire Moukila.

— Mais c'est une promotion pour moi !

— Je pense qu'il te reste encore à régler certains détails importants. Tu n'as pas fait tout ça pour rien, j'espère.

— En effet, j'ai contacté des avocats qui vont se charger de récupérer, discrètement et séparément les biens de Andekudy Kororo et de Amango Bady, ou si vous préférez Koh et Besso. Ces deux n'étaient pas mariés à Kionda mais ils ont laissé des parents au village. Leurs biens à eux deux, expurgés des détournements de Koh, sont largement suffisants pour dédommager le clan.

L'interphone sonna. Mbaye appuya sur le bouton.

— Votre ami, M. Dia le journaliste, veut vous voir.

— Dis-lui qu'il peut venir.

Simon entra et salua.

— Alors ça marche ton dossier sur l'acheminement des vivres ?

— Plutôt favorablement. Je t'en parlerai tout à l'heure.

Il se tourna vers l'inspecteur Sarré et pensa à madame Lomo : « Sarré se considère comme un Bassari à part entière », et il fit la liaison avec la phrase d'Atumbi l'ancien : « L'archer est assuré de l'aide et de la protection de quelqu'un. » Et si ce quelqu'un était Sarré ? Il interrompit ses réflexions.

— J'ai un message privé pour vous.

Sarré le fixa sans comprendre.

— J'arrive de Kénédou et mon travail m'a amené à rencontrer une jeune femme. Elle m'a prié de vous retrouver et de vous remettre cette lettre. (Il lui tendit le pli.)

— Diaka ! murmura Sarré, elle m'aime comme avant. Quel bonheur de bientôt la retrouver à Kénédou. Mais... Mais... (Il bégaya d'hésitation.)

— Ne vous inquiétez pas à ce sujet, le rassura Simon. Elle sait quel crime abominable on lui reprochait et elle s'est dit souillée d'avoir été la femme d'un tel monstre. Vous ne pouvez être qu'un héros pour elle.

— Diaka ! murmura Sarré.

Et il demanda à prendre congé.

Simon prit la place de Sarré.

— Kamaga est mort dans la nuit, dit Mbaye. Pour une fois la flèche était empoisonnée. Il a longtemps cru qu'on pourrait le tirer des griffes de la mort mais les toxicologues n'ont pu établir la nature du poison à temps. J'ai moi-même interrogé Kamaga pendant qu'il était encore en état de parler. Comme pris par le remords (il souffrait terriblement), il a tout raconté.

Seule dans sa baraque, Kandima-belle-voix médi-tait, assise sur le lit. Elle avait amoureusement arrangé la chambrette comme si elle attendait l'homme de ses rêves. Mais il ne viendrait pas, elle le savait. Il est parti pour ne jamais revenir. Et elle était triste. Dans le taudis voisin un chômeur grattait sa guitare. Notes tristes : Amertume. Notes violentes : Révolte.

Kandima suivit la guitare. Sa tristesse et sa révolte épousèrent celles du guitariste. Elle improvisa la chan-son de l'archer sur cette musique improvisée.

Tu es venu archer, archer
Blessé, perdant ton sang.
Tu t'es arrêté à ma porte,
Pantelant, tu n'en pouvais plus.

ARCHER, VALEUREUX ARCHER
KANDIMA T'AIME

Je t'ai allongé sur le lit,
J'ai nettoyé ta plaie.
Mauvaise plaie,
Maudite blessure.

ARCHER, INDOMPTABLE ARCHER
KANDIMA T'AIME

J'ai appelé Haousa le scarificateur,
Il a ôté la balle.
Il t'a soigné avec ses poudres
Et il est parti en te bénissant.

ARCHER, COURAGEUX ARCHER
KANDIMA T'AIME

Tu t'es aussitôt relevé,
Fier, indomptable.
Et tu as tressailli.
La douleur. Reste avec moi.

ARCHER, VAILLANT ARCHER
KANDIMA T'AIME

Tu m'as regardée,
Tu as regardé Kandima.
Tu m'as souri — Merci,
Et tu es parti.

ARCHER, BEL ARCHER
KANDIMA T'AIME

Tu es retourné au village — Adieu
Kandima pleure.
Celle qui t'attend là-bas
Pleurera. De bonheur.

ARCHER, GENEREUX ARCHER
KANDIMA T'AIME

Tu nous as vengées,
Nous les filles de la sécheresse,
Obligées de nous prostituer.
Tu nous a vengés,
Nous les villageois, les paysans
Affamés, désespérés.

KANDIMA T'AIME
KANDIMA NE T'OUBLIERA JAMAIS
BEL ARCHER

Achevé d'imprimer en janvier 2012
sur les presses de la Nouvelle Imprimerie Laballery
58500 Clamecy
Dépôt légal : janvier 2012
Numéro d'impression : 112250

Imprimé en France

La Nouvelle Imprimerie Laballery est titulaire de la marque Imprim'Vert®